メキシコ文化の機能不全

パンデミック・T−MEC・文化財

ホルヘ・サンチェス＝コルデロ　松浦芳枝：訳

LAS DISFUNCIONES CULTURALES MEXICANAS
Análisis críticos de los procesos culturales en México.
Dr. Jorge Sánchez Cordero

西田書店

ホルヘ・サンチェス＝コルデロ
Dr. Jorge Sánchez Cordero

大切な姉の Mayita

近しい妹で人生という旅の大切な同行者の Gina

メキシコの文化遺産保護の中心的推進者である Eduardo Matos Moctezuma

序 文

　2006 年 9 月に、ドン フリオ・シェレール＝ガルシアは、ホルヘ・サンチェス＝コルデロ博士に対して、創刊以来、政権から距離を取る立場が特徴的である政治週刊誌である『プロセソ』への協力を要請した。あらゆる民主国家に於いて、「政権からの独立」は報道機関の本質的な特徴であるが、メキシコに於いては、独立系ジャーナリズムは、イデオロギーを問わず時の政権との連綿たる戦いを強いられてきた。

　『プロセソ』の創刊者であるジャーナリスト（ドンフリオ）が、新来の協力者に対して一つの条件をつけたのは当然であった。執筆に際し、権力とは一線を画すること、そして法学者としての資格が故に、政府の職務を担うようになることがあれば、その時点で週刊誌への寄稿を辞さなければならないという条件であった。

　その条件は原則になり、サンチェス＝コルデロは、メキシコの文化に関する手続きの登録及び分析、並びにメキシコが 1990 年代に、米国との経済統合を決めて以来、顕著になった国際舞台での活動を除いて、政府の役割から距離を取って来た。

　『プロセソ』に執筆した評論は、公共政策もしくはメキシコの自然または公衆衛生面での惨状の社会文化的影響に関する綿密な見解を超えるものであった。本質的に、二面性を持った歴史に関する資料を作り出している。政府による文化財管理の側面が一つ、もう一つは、メキシコ国家により創出された法的手段が、文化財の保全のためになったか、逆にその損害を引き起こす要因になったかという側面である。

　独立国としての誕生以来、メキシコは、自国の文化遺産並びにその擁護と保全のための法規に誇りを持つ国として世界の舞台に登場した。

　元より、法というものは、尊重されなければ効果がないものであり、当

局が略奪と違法取引を助長したり、北米自由貿易協定（NAFTA）が産み出したような文化的逆境が引き起こされる場合には殊更である。

　メキシコの文化にとってかくも不幸であったことは、ドナルド・トランプ政権によって課された、上記の協定の最新版であるメキシコ・米国・カナダ協定（スペイン語の略称はT-MEC）が、著者にとっては、「メキシコ文化にとってのレクイエム」という警告が現実になってしまったという認識である。

　文化の保存は有形無形の部分の擁護だけではない。同時に、食糧のような一国の本質的な項目を保護することでもある。そして、米国とのそうした関係に於いて、メキシコは、健康への影響に加えて、国の食糧安保をも脅かす新たな食料生産のために、四半世紀に亘って伝統的な食糧での譲歩を続けて来た。

　2019年12月に、T-MEC の調印と共にメキシコ政府により然るべく受任されたその食糧のモデルは、我が国が諸国家の文化遺産の保護のイニシアチブの下で貢献した半世紀ほど前とは異なり、広く話題になったメキシコの政権交代に於いて既に、国連でメキシコが署名した他の国際的約束に逆行すらしているものである。

　他にも、武力侵入や文化財の破壊または取引をする原理主義者もしくは犯罪集団による制圧があり、それらについて、著者は本書で取り纏めた数本の評論の中で扱っている。

　本書は概説書ではない。しかし、文化に関する法律への度重なる言及に加えて、近代国家の創設以来の文化財の擁護に於ける国際的行動の引き金になる日常的な事実の語りによって、読みやすい内容の書になっている。

　また、著者のこれまでの著作の中で取り上げられているメキシコ及び世界の芸術的背景は、著者が数十年に亘って取り組んで来た分野での権威をも示すものである。

　サンチェス＝コルデロの著作は、様々な政権の教育文化政策の懈怠を超

2

えて、官僚制度の怠慢及びその尊大さを常態化する社会的無関心への戦いの必要性を警告する自らを含めた人々の重要な存在を立証している。

『プロセソ』編集長
ホルヘ・カラースコ＝アライサガ
（於メキシコ市、2020 年 10 月）

メキシコ文化の機能不全
パンデミック・T-MEC・文化財

目　次

序文

Ⅰ. 公衆衛生上の惨事　歴史と注記

法的要約―パンデミックの影響 ……………………………… 9

パンデミックと聖セバスティアヌスの伝説　Ⅰ ………… 14

パンデミックと聖セバスティアヌスの伝説　Ⅱ ………… 19

パンデミックと先住民社会　Ⅰ ………………………… 24

パンデミックと先住民社会　Ⅱ ………………………… 31

Ⅱ. T-MEC（米国・メキシコ・カナダ協定）の文化的逆境

T-MEC メキシコ文化の不運　Ⅰ ……………………… 38

T-MEC メキシコ文化の不運　Ⅱ ……………………… 43

T-MEC メキシコの「文化的例外」の空虚 ……………… 49

T-MEC メキシコ文化へのレクイエム　Ⅰ ……………… 55

T-MEC メキシコ文化へのレクイエム　Ⅱ ……………… 61

Ⅲ. T-MEC の闇の中の食糧の正体

T-MEC 文化―食事の二項式への反撃　Ⅰ ……………… 67

T-MEC 文化―食事の二項式への反撃　Ⅱ ……………… 72

Ⅳ. テロの暗影

国連安全保障理事会と文化の新たな謎　Ⅰ …………… 78

国連安全保障理事会と文化の新たな謎　Ⅱ …………… 84

国連安全保障理事会と美術市場 ………………………… 88

V. 保護と返還への執念

オークション会社と先コロンブス期文化財 …………………… 94

文化財の不正取引　UNIDROIT の戦い ……………………… 100

文化財の不正取引　美術市場の構築 ……………………… 107

Unidroit の文化条約　盗取または不法に輸出された

文化財の回復　I ……………………………………………… 113

Unidroit の文化条約　盗取または不法に輸出された

文化財の回復　II ……………………………………………… 118

メキシコ―米国二国間協力条約の 50 周年 ………………… 122

1970 年の UNESCO 条約の 50 周年 ……………………… 129

「アテナ II」作戦　文化財の不正取引への警告 …………… 135

ヨーロッパ美術市場の新たなモデル ……………………… 140

VI. 芸術と文化を巡る騒動

文化を巡る国際的な小競り合い …………………………… 145

新著『文化の断絶―待ち受ける大いなる挑戦』の

出版発表会 …………………………………………………… 150

芸術の諸自由の衝突 ………………………………………… 155

芸術の荒廃 …………………………………………………… 159

VII. 偉才たち

フリオ・シェレール＝ガルシアとヘイトスピーチの

ジレンマ ……………………………………………………… 167

ミゲル・レオン＝ポルティージャと時の審判 …………… 172

訳者あとがき

Ⅰ. 公衆衛生上の惨事：歴史と注記

法的要約

パンデミックの影響

　国務院（フランス）評定官のジャン＝エチエンヌ＝マリー・ポルタリス（1746年-1807年）は、名高いフランスの民法典の起草に当たり、ナポレオン・ボナパルトによって何人もの法曹の中から選ばれ、作業の主導を委任された。ポルタリスは複雑な任務を担うことになった。即ち、自由、世俗性、平等のような革命的価値観と、フランスの様々な既存の法律制度とを両立させることであり、しばしば対立する様々な社会的勢力及び集団的利害の間での相互作用に関わる業務であった。そして、古典的著作の『民法典序論』（*Qu'est-ce que le qu'un Code Civil?*）に表明した、「法は誰からも無視されないためには、記載された明確なものでなければならない」という反証できない結論に達した。

　全ての人は法の前に平等であるいう共和主義的前提条件は、市民が自らの権利と自由を行使できる法規を熟知しているときに初めて実効的なものとなる。1789年に採択された人間と市民の権利の宣言の中で、法律は、権利の保証を確実にする明白な中心的重要性を有すると示される。
　この保証は、市民権の有効性に実効可能性を与える。どんな人間も自己の権利の保証を持つべきであり、その保証が効果的であるためには、法律が人間にとって手の届くものであり、理解可能であることが必要である。
　法に対する無知は法の不履行を正当化しないという全ての法制度の前提は、法の近接性と理解可能性の中にこそその正当性を見出す。前者は、

従って、後者の立憲的価値に結びついた立憲的原則である。

　時の審判が追い風となったポルタリスのこのテーゼは、現代に至るまで民主主義の支柱の一本を構成して来た（欧州司法裁判所、2018年9月20日、C-51/17）。

　本要約は、従って、その伝統の中に盛り込まれている、我々の法制度、とりわけ、私法の領域に於いていくつかの有効な原則を、理解可能な表現で示すための民主主義的行使であるが、かかる原則は、新型コロナウイルス感染症（以下、COVID-19）パンデミックのために、社会の中でより強く鳴り響くことは疑いない。

民主的環境

　パンデミックは、国家の機能性、その民主的機関及び法制度に深刻なインパクトを与えた。公衆衛生上の理由での司法機関及び立法機関の休会は、更なる証拠を必要としない。

　取られた抑制措置は、連帯がその正当性の根拠である公衆衛生的秩序に基づいており、このことは、例外として理解されるべき制限項目を含む。しかしながら、その項目が、表現の自由、報道の自由、第三者の所持する個人情報の保護並びに公共情報及び司法へのアクセスのような民主主義の原則の中に盛り込まれていることは、社会にとっての最良の利益に適っている。従って、COVID-19パンデミックは、いかなる意図であれ、仮に一時的であったとしても、民主的公共機関を弱体化させるような抑圧的または権威主義的行動を正当化するものではない。

メキシコの状況

　市場での流動性の欠如が、契約の領域で非常に深刻な変更を引き起こすことは疑う余地がない。それ故、過度の自負に陥ることなく、またあらゆる価値判断はさて置き、公衆衛生の危機を前にしたメキシコのシステムの機能性を再考察することが重要である。

　民事法制は社会の民事的構築である以上、出生、婚姻、死亡及び相続規定といった民事上の最も本質的行為、並びに個人間での商取引の安定等を

保持するという主張は当然である。

　メキシコに於いては、民事法制は、地域毎の特質を帯びているため各州の主権に従う。この複雑さの背景は、米国の制度の簡略版である 1824 年の連邦憲法に起源を持つことにあるが、世界の他の連邦制とは大きく異なる制度であるため、連邦司法権の判例の断片化は不可避となる。

　明白な理由で、州の民事法制の詳細な分析はこの分析から除外される。商法は連邦に帰属するので、同様である。しかしながら、契約の分野に於いては、若干の側面を除いて、本書では、州の法制中に特定可能な一般条項として執筆したいくつかの中心的な有効な原則を体系的に説明するものであり、かかる原則は州の法制中に特定可能であり、それ故、同法制の共通項なのである。

　これらの民事法制の際立った根拠の一つは、合法的に締結された契約は、期限通りに履行さるべしという格言に示されている。契約とは、相互的且つ相関的な権利義務が繰り返し結びつく集合体である。そのことは、債権者と債務者という用語は、口語的には極めて不正確に発せられがちな多様な人間の現実を全面的に覆う抽象概念であることを示す。

契約の改定

　契約は、情報提供の原則として両当事者の意思を有しているため、そこから多数の結果が生じる。主要な結果の一つは、契約当事者だけが変更、修正または終了することができるという意味での契約の無形性または不変性である。その一般的言明は取消不能である。

　契約の強制力は強制的な履行を意味し、意思の中に正当性がある。契約の両当事者は、契約が明確に合意した内容に従ってだけではなく、当該契約の性質上、*法が定める例外を除いて*、誠意、慣例または法に基づいて履行されるよう命じた。

　この迂言から契約の改定が―変質したメカニズム―誘発されたが、それは、付随的状況により契約の均衡が乱され、両当事者のいずれかに対して過剰な義務負担が作り出されるときである。正にこの点に於いて、州の法制を特徴付ける多数の変数が重要性を帯びる。共通項は、撹乱的な事象の

予見不能であるが、力点の置き場は、かかる事象の実態そのものではなく、契約上の均衡に関する影響である。

　問題の核心は、新規で予測不能な事象の付随性の結果として、契約の履行中に生じる支払いの客観的不均衡の中に特定されることになり、明白な契約上の挫折を前に、特異なリスクによる損失の分配を巡る議論を惹起する。

　付随的事象の犠牲者に対する免責は、このCOVID-19パンデミックの場合には要求であり、問題は、契約履行時の外的要因による混乱を証明することであって、債務者の行動を詮索することではない。

不可抗力

　契約の不履行は拘束力に対峙する。契約の強制履行によって、債務者は自己の不承不承の行動が引き金を引いた損害及び損失の当然の賠償で以って、言質の履行を余儀なくされる。

　しかしながら、法は、債務者の免責可能性を示す条項を定めている。とはいえ、債務者に対し、損害への対応だけでなく損害賠償からも免責する。契約履行の免除は、債務者に帰責できない特定の想定に由来する。

　ここで発生するのが不可抗力であり、偶発事件の同意語であるが、抵抗不能、予測不能及び外部性のような両立不能な特徴が充足される必要がある。抵抗不能は、不可抗力とより結びついているが、できないことをする義務は誰にもないという前提を共有し、抵抗不能及び普遍概念を引き起こすための統治行為または神の仕業として言及されることが多い。

　障害—絶対的であるべきとして理解される—への予測不能については、偶発事件とより結びついており、契約の完了に於けるいかなる人間の予測からも逃れていなければならなかった。

　障害が、債務者による義務の履行を物理的に不可能にして、不履行の責任ありと見做せないためには、債務者の区域外から由来し、従って普遍的なものでなければならない（分散論文、Ⅶ巻、1988年1月。第28冊、第7部。主題：民法。書籍71、2019年10月、Ⅳ巻。主題：民法。論文I.3o.C.371 C.371C（10a.），3466頁等）。

　不可抗力は、帰責不能の要素としての債務者の行動に関する調査を除外する。他方、この要素は、不履行による執行の根拠のために必要である。不可抗力を構成する障害は実に多様である。自然災害を指すこともあるが、COVIT-19 パンデミックまたは当局の行動の確認的証拠のような人的災害をも含む。法は、しかしながら、債務者が免責というこの想定を拒絶することで合意した場合、偶発事件は、解除の効果を生じるものではないことを定めている。

エピローグ

　共和国にとって不幸なこの時期に於いて、憲法への忠実と忠誠が特別に重要になるが、それらは逆説的ではあるが、過去との繋がりであって未来とのではない。憲法は文化的過程であり、永続的な交渉と相互の寛容性を支える動的な統合現象として理解されるべきである。この文化的過程は、過去及び未来の希望での明確化手順を通じて得られる知識によって、世代から世代へと刷新して行く（Peter Häberle）。

　切迫する事態を前に省察が肝要である。法制度は、意識に対する簡素な評価へと単純化ができない、歴史と経験の両立が必要である内面を持った社会的要素を備えている。

　予測不能と不可抗力との相違は明白である。後者は、債務者の努力にも拘らず、合意した結果の実現を阻害する事象の付随性を意味する。前者は、市況に対する提供の経済価値を変化させる契約の経済的均衡の外的要因による混乱を指す。

　合法性の結果は多様である。予測不能は契約の再適応に至り、他方、不可抗力は、以降、何らの社会的効用も期待できないことから、履行の中止または解除を導く。

　例外的に、契約の社会的効用は、契約の提供での過剰な不均衡を前に、予測不能による契約の改定を正当化する。不可抗力の主張は、社会的効用が欠如する契約の解除に必ずや向かうべきである。

　COVID-19 パンデミックの複雑な様相を前に、司法府は、社会的安定

のために、最も重要な機能を果たすことを求められている。

パンデミックと聖セバスティアヌスの伝説　I

———畏友カルロス・ベラ＝サンチェスに捧げる

　パンデミックは人類の歴史の中では常に存在してきた。最大の死者数を出したパンデミックは腺ペストによるものであり、中世のユーラシア大陸の全人口の 10 人に 1 人の命を奪った。ローマ教皇クレメンス 6 世（在位：1342 年〜 1352 年）は、死者数を 4 千万人以上と推定したが、その数は、死者数に於いても罹患率に於いても、20 世紀初頭のスペイン風邪の被害のほぼ倍に相当した。

　エピデミックとパンデミックは、世界的規模で著しい反響を呼び、社会的・宗教的・政治的対応の創出を促した。回顧的に分析すると、これらの対応は、腺ペストの拡大並びに衰退または明白な消滅に寄与した様々な物理的及び人的環境を理解するための一つの基準である。そして、社会的・文化的・経済的エコシステムへの影響の評価を促したとも言える。

ペストと贖い

　680 年にローマとパヴィーアで、黒死病とも呼ばれる腺ペストが猛威を振るった。ベネディクト会の修道士であったパウルス・ディアコヌス（720 年〜 799 年）は、パヴィーアに殉教者聖セバスティアヌスを追悼して祭壇を構築すれば、疾病の流行が止まるという啓示を得ていたと確信した。尚、今日同所には聖遺物が保管されている。ローマのサン・ピエトロ・イン・ヴィンコリ聖堂には、ミケランジェロ作のモーゼ像の側にあるモザイク壁画にも聖セバスティアヌスが描かれている。

　初期キリスト教徒の一人であった聖セバスティアヌスの伝説が勢いを得たのは偶然ではなかった。セバスティアヌスは、キリスト教徒への迫害が激化した時期のディオクレティアヌス帝（244 年〜 311 年）の近衛隊の一員

であったので、重要な地位を占めていた。程なく罪を負わされ、皇帝は矢を射る処刑を命じた。

　その伝説によると、キリスト教徒は、処刑された兵士の遺体を救い出した。妻のイレーネは蘇生に成功した。挑戦的なセバスティアヌスは、再び、ディオクレテイアヌス皇帝と対決したが、皇帝はセバスティアヌスの死亡を確認するまで処刑をすると断言した。その後、遺体は共同墓地に投げ入れられた。敬虔な初期キリスト教徒の一人であったルキナ（Lucina）も幻影を見た。遺体を救い出し、アッピア街道のカタコンベへ運ぶようにという指示であった。

　キリスト教の図象学に於いては、矢で射る刑罰に処される殉教者を示すのは一般的であった。この描写は、拷問が続くことを復活と結びつけるものであった。

　聖セバスティアヌスの伝説は、初期キリスト教徒の間で根を下ろし、カトリック信仰に取り込まれた。所謂ユスティニアヌス1世のパンデミックによる荒廃を前に、ローマ教皇大聖グレゴリウス（在位540年〜604年）は伝説の聖人に救済を求め、キリスト教共同体を慰める意図で、聖人の身体に放たれた矢の解釈を行った。そのために、ペストは、神罰の手段として天から落ちてきた矢である（詩篇7：13）とするユダヤ・キリスト教の伝統的解釈に従った。

　ギリシア・ラテンの神話との一致は、『イーリアス』（第一歌）の中で、ゼウスの息子のアポロンが、トロイアの包囲中にアガメムノンの行動への懲罰として、矢にペストを付けてアカイア人の中に流行らせたという場面が示唆的である。

　聖セバスティアヌス崇拝はヨーロッパ全土に広がり、14世紀の絵画に於ける幾多の表現の対象となった。カトリック崇拝に組み込まれてからは、黒死病を緩和するための予防的祝福が切望されていたのは明白である。

　その騒然とした時期に、病気の治癒力を持つとされていた大天使聖ミカエル崇拝も高まった。伝説に従うと、大天使は、5世紀末にカルガーノ山

に出現したとされ、6世紀に生きたシポントの司教のロレンツォ・マイヨラノは、大天使のために聖地の造立を命じた。山からの湧き水は、あらゆる病気を治すと言われていたため、奇跡の水と見做されるようにさえなった（Lester K. Little）。

　ある巡礼の最中に、ローマ教皇大聖グレゴリウスは、大天使聖ミカエルが、ハドリアヌス廟―在ローマの現サンタンジェロ城―の上に血だらけの剣を振りかざしながら止まっているという幻影を見たことを公言するのを避けた。城の頂上を大天使ミカエル像が今日に至るまで飾っている。グレゴリウスにとっては、熱心に捧げていた祈りが通じて、パンデミックの終焉を告げていた神のしるしであった。

神の怒りのしるし

　後年、腺ペストは、再びヨーロッパ、特にローマ帝国の領土を襲った。ユスティニアヌスの疫病（541年～750年）として知られたそのパンデミックの社会的・経済的・政治的インパクトは甚大であった。黒死病は村という村を過疎化したため、社会政治構造は目に見えて弱体化した。

　人口の激減という危機の最中に、税収の落ち込みは甚だしく、帝国の経済的基盤は著しく脆弱化した。この大惨事に加わったのが飢饉と給与未払いに対する兵士の反乱の頻発であった。

　ローマの市民軍への徴兵数も激減した。このため、ユスティニアヌス帝の拡大計画は頓挫した。むしろ、こうした事実やその他の事実こそが、ローマ帝国の衰退とローマの西ヨーロッパへの世俗的支配の崩壊を説明している。

　スペイン、ガリア及びブルターニュにとりわけ顕著であった戦争と社会の動乱、飢饉、疫病並びに必然的な人口減少は、新たな社会的・文化的アイデンティティ及びシステムの出現から成る民族起源論という新しい現象を発生させた。こうした厄災の反響は宗教の隅々まで浸透した。それから三日間の断食による祈願が広まり、人々をペストから守るために神に祈願する聖歌を歌う巡礼が始まった。

　ガロ・ローマ人の歴史家であったトゥールのグレゴリウス（538年～594

年）は、フランス、オーヴェルニュのブリウドのサンジュリアン寺院の礼拝堂への巡礼者の一行が、黒死病の襲来を前に、クレルモン＝フェラン村の村民を救助した様子を述べている。巡礼は増加し、聖人の人気と改悛が中心であったが宗教的だけでなく、経済的・文化的な様々な影響があった。追悼と聖遺物がキリスト教信仰で強要され、聖地の造立の中で根本的な要素になった。

　卑下、痛悔及び懇願という改悛も、修道院の顕著な増加に伴い広く行き渡り、黒死病からの擁護を懇願するという特定の目的を持った祈願のミサが作り出された。しかし、聖職者でもあったトゥールのグレゴリオが、偶像崇拝の儀式や呪術による治癒の試みや迷信の完全な申し子である護符やお守りの使用を異教徒的と見做した行いも出現した（Jean-Noel Biraben et Jacques le Goff）。

　厄災の影響を受けたカトリック教徒達の中では、巡礼の間に信仰のあからさまな喪失や多数の離反者も見られた。人口危機は、イスラム教とキリスト教との不断の相互作用によって引き起こされた権力の対立を激化させ、宗教的支配に動揺を引き起こした。共同体の異質性によって決定されたキリスト教の諸々の聖書釈義もかかる状況を助長した。寺院への冒涜と宣誓の違反への答えとしての神の激怒としてパンデミックを説明しようとしていた昔には、宗教という定数は、パンデミックを特別なものとして扱った。こうした事象からローマは安定を失い、極めて脆弱な状況へと陥って行った。

メメント・モリ（死を想え）

　14世紀に起きたヨーロッパの2度目のパンデミックは、あらゆる社会の部分と農業のような経済の根幹に害をもたらした。ペストによって検疫の伝統が定着したが、その用語は、遠く聖書の中の特にハンセン病患者の隔離についての言及の部分にまで遡る。

　最初の検疫は、1465年にイタリアのラグーザで制度化され1485年のヴェネツィアがそれに続いた。しかしながら、ペストの感染拡大経路に関

する科学的知見を欠いていたため、検疫を含む多くの抑制対策の効果は得られなかった。

　イベリア半島の場合は、黒死病はスペイン帝国の北部で感染拡大し（1596年〜1602年）、現地の人口を激減させた。その突発的発生の後に更なる大流行が続いた（1648年〜1652年及び1677年〜1685年）。この公衆衛生と人口に関する危機は、スペイン帝国の衰退の引き金の一端になった。

　ペストの感染の原因と経路に関する科学的証拠がないまま、社会階層間の緊張が高まり、社会に生じた偏見（stigma）は拡大し、反乱や一般の住居も対象とする略奪が発生した（Rene Bachrel）。

　そうした汚名を着せる動きの矛先は中欧のユダヤ人に向けられ、彼らがペストの原因であるというまでに至り、程なく虐殺が起きて、ユダヤ人共同体がポーランドへ逃げる原因となった。反ユダヤ感情の激化を前に、ローマ教皇クレメンス6世は、*Quamvis Perfidiam* という名称の回勅の中でこうした迫害を非難した（Sheldon Watts）。

　言語もまたペストの被害を被った。教会の影響力の低下を前に、*共通語* としてのラテン語の重要性は低下し始めた。絵画では、死の舞踏のテーマが、脆さという境遇を共有する全人類を表す風刺として、また道徳的寓喩として頻繁に選ばれた。

　文学も当該現象に無関心ではなかった。ルネッサンス初期の人文主義者の2名であるフランチェスコ・ペトラルカ及びジョヴァンニ・ボッカチオは、ペストの病を扱った。前者は、ペトラルカに取ってミューズの存在であったペストで死亡したラウラ・デ＝ノベスを褒め称えていた書簡形式の作品の中で、ペストを取り上げており、後者は、『デカメロン』の中で、1348年の春、フィレンツェで「多数の死者を出したペストの時代」を物語る。

　ボッカチオの作品の影響を受けていたジェフリー・チョーサー（1343年〜1400年）は、『カンタベリー物語』の中の「免罪符売りの話」の序章と一部の所で、この疾病に言及している。言及は増加した。ウイリアム・ラングランドは、「ピアス・プロウマン」という詩の中で、またイギリスの

作家のトマス・ナッシュ（1567 年～ 1601 年）は、「疫病の時代の連祷」という ソネットで指摘している。しかし、パンデミックの恐怖を最も巧に記述したのは、アーニョロ・ディ＝トゥラ＝デル＝グラッソという、「死の大疫病」を記した 14 世紀のシエナ出身の年代記編者である（Thomas E. Keys）。

エピローグ

　人類の歴史の中で、パンデミックの影響は、社会構造と共に、思想、信条、価値観を変容させてきた。更に言えば、政党の立場と機能をも変更させた。

　本章での歴史の見直しでの重要な側面の一つは、パンデミックとそれに続く感染者が着せられた汚名（スティグマ）に対する責任を明確化することなのであるが、それは、現在の公衆衛生の危機により、多くの国々で観察され始めている通りである。

パンデミックと聖セバスティアヌスの伝説　Ⅱ

　フランスを震撼させた大事件の一つは、疑いなく 1920 年の疫病の大流行であった。年代記によると、グラン・サンタントワーヌ号は、同年 5 月にマルセイユに接舷する少し前に、強い悪臭を放つ熱病に罹患した 9 名の乗客が死亡していたことを通告した。この疾病は直ちに腺ペストと関連付けられた。かかる状況を前に、船舶は上陸を阻止され、港湾管理局より遺体を火葬するためにジャル島への出航を命じられた。

　出発に先立ち、マルセイユの名士達の要請によって、重要な船荷はアレンクの感染症病院の医務室に規則に反して蔵匿され、そこから密かに引き出された。それから、ペスト宿主は正に当該船荷の中にあったと考えられた。結果は火を見るより明らかだった。ペストはマルセイユとその周辺で瞬く間に広がり、現地の人口 40 万人の 30％が命を落とした。

　市の名士達は、その後、この不幸による不名誉に苛まれた。しかしなが

ら、2016 年 1 月のマックス・プランク研究所による研究は、当時の疫病は 14 世紀のルネサンス期のペストの再来であり、名高い船荷がもたらしたものではないとする指摘によって、多くの疑問点を提起することになった。

中　傷

　もう一つのヨーロッパの公衆衛生上の惨禍は、流血夥しいナポレオン戦争中に発生している。戦争自体のもたらした多数の死者にチフスの被害が加わった。ペルー原産のきのこが原因でジャガイモ、米、麦の収穫が全滅し、状況は危機的様相を深めた。かかる状況は、19 世紀の 40 年代のヨーロッパでの飢饉の引き金にもなった。

　その災禍にパリでの二度のコレラの大流行が追い打ちをかけた。過酷を極めたのは 1848 年の発生であり、1832 年時のよりも死者数と罹患率を上回るものであった。公衆衛生上の危機に端を発して、上流階級は、庶民階級による非難の矢面に立たされた。1830 年 7 月の革命の中で、上流階級が当該パンデミックを通じて大衆の人口過剰を低減させるマルサス的主張を行なったとする議論が沸騰していたからである。

　ヨーロッパの危機的状況は大規模な移住を誘発し、アイルランドの場合は 100 万人の人口減を見た。最初の集団移住はヴォワヤジュール号でコーク港を出航し、コレラを移動させた。船舶は 1832 年にカナダに接舷した。モントリオールが最初の感染巣となるや、瞬く間に米国の東海岸に広がり、アルゼンチンにまで達した。このパンデミックがアメリカ両大陸での最大の死因になるのに時間はかからなかった。

　1833 年 8 月、オハイオ州オックスフォード市に於いて行った名高い講演の中で、自然哲学が専門のジョン W.・スコット教授は、アイルランドの住民を痛烈に批判し、罪深い行動であったと激しく非難する程であり、疫病は、神の不快の明白な現れであると主張した。この烙印は、19 世紀の米国内のアイルランド系住民に対する差別に深刻な波紋を投げかけた。

　コレラは、メキシコ人歴史家のカルロス＝マリア・デ＝ブスタマンテ（1774 年〜1848 年）によると、メキシコには北部のコアウイラ地域の銀山

に至る道と南東部のカンペチェの二つの経路を通じて侵入した。メキシコ市東部のスラム街サンティアゴとサン・ディエギトはコレラにより壊滅した（C. A. Hutchinson）。1813 年のチフスのパンデミックも同様に壊滅的であり（Lourdes Márquez Morfín）、これらの事柄については、我が国の当時の状況に限定して本書の次の評論で説明する。

技　術

　長い間、伝染病のコンタギオン説（接触伝染説）を提唱したイタリア人医師のジローラモ・フラカストロ（1478 年〜 1553 年）の著作が、パンデミック撲滅運動の行動を決定づけていた。この説は、14 世紀中葉に満州で発生した第三波のペストによって、同世紀に危機に陥った。ペストは満州から香港へと拡大した。

　造船技術の進歩が疾病の世界的拡大を可能にしたと言われている。この説の根拠は、蒸気船は帆船より移動速度が速いことと、短い航海中は感染性病原体が活発であるという事実のために、接舷先の国々に疾病を輸出していたことである。このように、ペストの大流行は米国で蔓延し、そこからアルゼンチンまで拡大した。

　帆船が主役を演じた所謂大航海時代に、ペストは、太平洋の端から端までの港に到着する前の航海自体の間に破壊的周期を終えていたため、更なる感染拡大は不可能であった。

　19 世紀末以降、ペストの起源に関する一連の研究が始まった。その歴史は有名である。東京での北里柴三郎と、仏領インドシナでのアレクサンドロ・イェルサンが、原因菌の発見に精力的に取り組み、イェルサンがエルシニア・ペスティス菌の分離に成功した。その後、インドで、ポール＝ルイ・シモンが、ペストのウイルスベクターは、ケオプスネズミノミであり、宿主はイエネズミ類（クマネズミ）であることを明らかにした。

　それらの研究は、最終的に、腺ペストの拡大は、接触伝染によるのではなく、感染した鼠の咬傷であると指摘した。このように、齧歯類により接種された有毒物質は、ヒトのリンパ小節またはリンパ腺に侵入して、主と

して首や脇の下に横根が現れるという症状を呈した。

　1798 年のイギリス人のエドワード・ジェンナーによる貢献は、スペイン人征服者の到来の後に、疫病となり先住民社会を破壊した疾病である天然痘のワクチンを開発したことで、先住民の生態系にとって決定的な結果をもたらしたと言えよう。ジェンナーが著作を発表した 5 年後の 1803 年に、スペイン人の派遣団が現地医師を訓練して、先住民共同体を恐れさせていたこの疫病対策を展開する目的で、ヌエバ・エスパーニャに到着した。

文　学

　多くの作家が、文学作品の中で様々な比喩を用いて疫病を扱ってきたが、それらの多くには、侵略、防衛、征服、反乱等政治または軍隊に関わる構成要素が見られる。

　文学は、疫病という現象にとりわけ敏感であったのである。ダニエル・デフォーは、『ペスト観察録』の中で、ロンドンのペスト（1665 年〜1666 年）時に現れた市民文化を力説した。アレッサンドロ・マンゾーニ（1785 年〜1873 年）は、『いいなづけ』の中で、恋愛の領域での疾病のドラマを展開した。ウイリアム・ハリソン＝エインズワース（1805 年〜1882 年）は、『オールドセントポール』の中で、またアレクサンドル・プーシキン（1799 年〜1837 年）は『黒死病の時代の饗宴』の中で、それぞれ取り上げている。

　エドガー＝アラン・ポー（1809 年〜1849 年）は、『赤死病の仮面』と言う短編恐怖小説の中で、そしてアルベール・カミュ（1913 年〜1960 年）は『ペスト』の中で同じ疾病を示唆している。この『ペスト』については多くの解釈が存在する。発表期日からすると、題名は黒死病と一致すると言う解説があったが、明らかにドイツ人を指しており、ナチス党員は褐色のペストと呼ばれていたことが背景にある。

　しかし、『ペスト』という作品はそれだけではない。カミュはこの著作で、プロテスタントのイデオロギーに固有な責任感を世俗に移し替えている。それは現在の公衆衛生の危機に照らすと、現代には重要となる側面で

ある。この作品で、カミュは、連帯の価値観を普通の英雄の規範であるとして神聖視する。このように理解された連帯は社会の基礎であり、カミュは著作の中で次のように表現している。「もうこのときには個人の運命というものは存在せず、ただペストという集団的な史実と、すべての者が共有した様々な感情があるばかりであった。」

社会的問題

歴史に刻まれた様々な疫学的事象の間に、都市部では暴力が出現、拡散した。住民たちは衛生当局の命令に反発した。コレラは医師や病院に対してさえも暴力的行為の刃を向けた。パリ、マンチェスター、グラスゴー及びエディンバラは、1884 年のマルセイユとナポリと同様に、1830 年代に騒乱現場と化した。

実のところ、疫病に直面した市民の行動は、検疫に抵抗する民衆のネットワークの形成、隔離用住居での生活、非常線及び公衆衛生上の通行許可証など多岐に及んだ。しかし、当局と民衆文化の表現の間の仲裁への明らかな拒絶を目指している動きもあった。

フランク・スノーデン（1911 年～ 2007 年）は、エール大学の医学史の教授であったが、1884 年のナポリでのコレラの大流行は、自由主義国家の正当性を踏み躙る結果に終わった事実を極めて厳密に認めた。その認識への反応はかくも激しかったため、ナポリの当局自体が 1911 年のコレラの蔓延の存在を否定するほどであった。

別の視点に立脚して、また時代や世界の地域を変えて考えてみると、当局は社会規制を通じて権力を活性化するための逃げ口上として感染症危機を利用してきた。確かに、検疫は政府による日常生活への干渉を表しており、市民の抵抗の結成を引き起こした。

様々な歴史的状況に於いて、疫病は、その退散目的による矛盾を孕んだまま組織された宗教的行列や儀式のような物騒な集会に、行政当局が恐怖心を感じたとき、宗教当局との間で緊張関係も作り出した。

エピローグ

　疑問符だらけの—社会的・政治的・イデオロギー的、宗教的—論議によると、疫病は限定的な時空の中で始まる。その致死効果は、しかしながら、経済の混乱、混沌、公衆及び個人の衛生の欠如にかかっている部分が多い。予防方法と科学の進歩を通じて、医学は長期的に疫病を許容限度内に抑えていた伝統習慣を変貌させた。これらの進歩は、多くは世界的に一様である新たな行動様式の採用を義務付け、疫病の治療では長年の伝統よりも効率的であることを示した。文化的生態系の中で引き起こされた不均衡は極めて憂慮すべき状態であり、激しい論争の的にもなっている。

　商業と疫病は古代より密接不可分な関係であったことから、COVID-19の拡大の原因を社会のグローバル化に帰することは短絡的思考である。

　メキシコに於けるパンデミックに関しては、社会による当該事象への反応及び解釈を体系化することが肝要であるが、それには大流行の発生地の様々な社会文化的状況が大きな影響を及ぼす。

　民主主義国では、疫学的危機の抑制は、公衆衛生に関する様々な知見での多元的視点の受容と民衆、政府、医療関係の複雑な状況の認識とを何よりも先に要求する。抑制に成功するかはそれ次第である。

　我が国の社会に関して言えることは、民主的原理は死の前の平等を要求するという揺るぎなく容赦ない結論である。

パンデミックと先住民社会　I

　先住民は健康的な生活を営んでいた。疾病はなかった。熱病も天然痘も、胸の灼けるような痛みも、腹痛も衰弱もなかった。この生き生きと多くを物語る描写は、ユカタン州のチェマイェルのチラム・バラムの書の第二章—「征服回顧録」—の一説である。ノスタルジーを表すだけでなく、スペイン人到来前のマヤ人の健康状態を理想化した証言である。

　ヨーロッパの紙で作られたノートに書かれたこの書物は、1782年1月に、フアン＝ホセ・オイルの手で書き直されてから、聖職者職にあって預

言者として名声を得ていた「奇跡を起こす人」フスト・バラムの手に渡された。チラムは預言者を表し、バラムは苗字を指している。

　その記述内容は、アメリカ先住民共同体が、疫病に罹らなかったことを証明する多数の歴史的証拠の一つを提供する。しかしながら、チマルポポカの写本には、ペストが当時の社会で感染拡大した可能性があった、即ち、トゥラの陥落の主因の一つであったとする言及が存在する。

　この主張は、ヨーロッパ人が先スペイン期の生態系との接触によって罹病したことを示す記録がないことを確認すると弾みを得る。しかし現実は異なり、歴史分析の場で再三再四証明されてきたように、征服者が持ち込んだパンデミック（麻疹、天然痘、黄熱病など）とその結果罹患する肺炎や胸膜炎が先住民を襲い、多くの命を奪ったのである。

　結核、マラリア、更に梅毒（「フランス病」として知られていた）は、先住民とスペイン王国が海外領土統治のために創設した副王領の構造にも衝撃を与えた。研究者の間では、先住民がそうした災禍に晒されながらも滅亡しなかった事実に驚きを示す意見が支配的であった。

　先コロンブス期に存在していた疾病は風土性というよりは流行性であった。同様に、疾病が発生する生態系では、人間と寄生生物の間の生態学的バランスが不安定であることを示していた。先スペイン期の文化の孤立は、様々な意味で魅力の的となってきたが、先住民が疫病に立ち向かうのに必要な抗体を作ることを逆に阻害することになった。

　先住民の集団は、西洋と接触した際に劇的な生物学的脆弱性の状況の中に置かれた。（旧大陸からの）動植物の輸入は生態系の均衡を崩し、相関的不安定を引き起こした。動物の場合は、アンデス地方のリャマとアルパカが一例になるが、人間に対する疾病伝染経路になるほどの頭数ではなかった（William H.・McNeill）。

　記録として残っている先コロンブス期の災禍の多くは、旱魃と収穫被害であった。ヌエバ・エスパーニャ在住であったフアン・デ＝カルデナス（1563年〜1609年）の説を信ずるなら、農業生産性に於いて先住民はヨーロッパ人より優っていた。このセビリア出身の医師は、ヨーロッパ人がペ

ラグラという皮膚病に罹患するリスクを書き記している。原因は、アルカリ水処理をしないトウモロコシの摂取によるビタミンの欠乏であり、その処理を施すことで、先住民の身体はトウモロコシの摂取時にビタミンB3（ナイアシン）を吸収することができた。

人口危機

　先住民共同体へのパンデミックのインパクトは、アステカ族の場合に起きたように、現地の権力の交代プロセスに於ける政治的途絶を引き起こした。先スペイン期の社会のような独裁体制の中では、極めて慎重に扱う必要のある事象であった。社会を支配する連鎖の構造の弱体化だけでなく、完全に変質してしまった。この激震は全ての先住民共同体の隅々にまで拡大したため、スペイン人による先住民への懐柔政策にとっては追い風となった。

　先住民の貴族階級は、権力の交代にも征服者の裁可を求めるに至った。先住民の子孫を修練者の身分で修道院に送致することで堅固となった教会との巨大で押し付けの同盟によって、残存する権力保持に努めながら、新たな構造への協力をする膳立てができていた。

　現地の住民を支配するために、先住民部族の首長であるカシーケの陣営が形成されたのは、その同盟の必然的帰結であったが、その後は、現地の地方自治体に対するスペイン人の政治行政モデルの下で引き継がれた（Jonathan I. Israel）。

　征服は家族構造に波及し、その影響は今日でも依然として見受けられるほどである。一例を挙げるとアルコール依存症である。先コロンブス期には罰せられ、植民地時代には、酩酊への盲目的崇拝と盲目的崇拝対象の過剰という先住民を愚弄する公式見解の下で有罪判決を下された。アルコール依存症はたちまち疫病の原因の一つに数えられるようになった。疫病が先住民にとって神聖な贖罪として見られていた間、先住民はカトリック信仰を持つと慈悲深く、敬虔で誠実な人間になるとする、スペインによる支配中に拍車がかかった説とは対照的であった。

　征服時の先住民人口に関する論議は今日も続いている。最初の情報源となるのは教区教会の古文書であるが、一番の信頼に値するものではない。しかしながら、正確なデータを得るには多大な困難が伴ったため、研究者の多くは当時の物語を利用せざるを得なかった。先住民共同体にはこうした疾病に対する免疫が作られていなかったこと、そして遠隔地の孤立した集落であったという前提は優勢で、分析を進めるための作業仮説として依然として採用される。実際のところ、その前提を通じて、先住民の脆弱性がパンデミックを可能にしたと主張されてきた。

　とはいえ、人口危機の原因はそれだけに求めることはできない。強制移住、奴隷制、法外な税金及び環境破壊は、現地の荒廃にとどめを刺した。確かに、テノチティトランの陥落とチョルーラの虐殺は先住民に劇的な影響を及ぼし、人口危機は、メキシコ高原一帯で 16 世紀と 17 世紀の間拡大を続けた（Alfred W. Crosby）。

　数字を巡る議論はさて置き、コンセンサスがあると思われるのは、天然痘が先住民に与えた被害である。1520 年初頭に、疫病は、16 世紀と 17 世紀の間、剣よりも効果的に死を招くものになって行く兆候が見られた。フランシスコ・ロペス＝デ＝ゴマラの語るところによると、勝利は鉄器によるものではなく、（先住民の）病によるものであった。またインディアスの主要な年代記作者であるフアン・ロペス＝デ＝ベラスコは、1520 年から 1521 年の征服に伴う天然痘による多数の死者と飢饉について述べている。この惨状は、1545 年〜 1546 年及び 1576 年〜 1577 年に発生した、先住民が総称的にココリストリと呼んでいたマトラサウアトルの疫病によって引き起こされた惨禍ほどの酷さではなかった。

　ドイツのマックス・プランク研究所、ハーバード大学及びメキシコの国立人類学歴史研究所による、オアハカ州、テポスコルラーユクンダアのミステカ族の墓地で行われた最近の調査結果が 2019 年に公表されたが、1545 年〜 1550 年の疫病は、先住民がウエイ・ココリストリ（大疫病）と命名した腸チフスの起因菌であるパラチフス C 菌が引き起こしたと特定した。

　同調査は、そのシンデミック—社会環境と衛生に関する要因が組み合わ

さったもの―の原因を、征服者によって課された隷従制度と相まって、現地の共同体の衛生習慣を悪化させた再定住という先住民の強制的集結に求めている（Ashild Vågene, Kirsten Bos and Christina Warinner）。

16 世紀のココリストリの疫病は、当時の激しい旱魃が招いたと指摘する別の研究も複数ある。それについては、ヌエバ・エスパーニャの最初の医師で、フェリペ 2 世の侍医であったフランシスコ・エルナンデスが詳述している（Rodolfo Acuña-Soto, David W. Stahle, Malcolm K. Cleaveland and Mathew D. Therrell）。

これらの時期に、死者数が激増したことで教会と墓地は瞬く間に遺体で溢れかえり、共同墓地を用意する始末であった。マトラサウアトル（網状の傷）は、旱魃による下層階級または栄養失調の人達に固有の疾病であった。それを発疹チフスまたは発疹熱と同定する学者もいた（Lourdes Márquez Morfín）。

バルトロメ・デ＝ラス＝カサス（1474 年～ 1566 年）及びベルナルディノ・デ＝サアグン（1499 年～ 1569 年）に代表される他の多くの年代記作者は、この出来事を記録する上で顕著な貢献を行った。トリビオ・デ＝ベナベンテ（別名モトリニア 1482 年～ 1569 年）は、小集落という小集落は完全に壊滅し、先住民の死体を埋葬することができなくなり、屍臭を抑えるために死体の山の上に枝や石を盛り掘っ建て小屋風の墓とした。埋葬の例はごくわずかにはあったが、宗教的動機というよりは衛生的な理由によるものであった。

1530 年に、インディアス枢機会議の検察官であったフランシスコ・セイノスが、メキシコ市の王立大審問院の聴訴官として、ヌエバ・エスパーニャに赴任し、30 年間任務を遂行した。1565 年 3 月には、植民地政策に関する一連の勧告を策定し、その序文の中で人口激減について語っている。挙げている理由の中には様々な疾病や天然痘があり、当時は暑い気候の土地の人々を中心に夥しい数の人々が命を落とした（Robert McCaa）。

人口の危機は高原地帯だけを襲ったのではなかった。メキシコ南東部の

シャヒル（シャイル）族の年代記は次のように示している。

　　人々は疫病で死んで行った。そして我々の祖先も絶命した。死体の山
　の半分は断崖から投げ捨てられ、犬やクロコンドルが屍肉を漁った。お
　ぞましい死がおまえらの祖先を襲った…こうして我々は孤児になったの
　だ（「文字通り死に追いやられたトゥクチェ族の破壊」、段落129）。

神々の間の対抗

　先住民の宇宙進化論とユダヤキリスト教の伝統には、パンデミックの説
明に係る接点が存在していた。両者にとってペストは夫々の神の怒りに由
来するものであった。神話の中で、先住民は、自然がもたらす破壊力を目
の当たりにしていたので、その緩和を常に試みていた。キリスト教の伝統
もこの主張と同じ考えに立脚していた。先住民は、神々とスペイン人との
間に征服者の勝利に終わる戦いがあると認識した。先住民にとってその認
識の紛れもない証拠は、ヨーロッパ人が最初の疫病流行時にほぼ無傷で
あったことである。宣教師は先住民の宗教教育を担っていたが、神々の間
に対抗関係は存在しないと考えていた。宣教師は、神学的思案は別にし
て、先住民に土着の神々への信仰を放棄させ、寺院を破壊し、神官階級を
廃止させ、俄かに自分達が取って代わった。

　征服は、現地人にとっては神学的な崩壊を意味した。現地人の視点で
は、スペイン人の優位性は明白であったわけであり、征服者への屈服が先
住民の習慣に取り込まれたことで、宗教的・世俗的な服従への備えができ
た。その後のパンデミックは先住民を破滅に追いやった。

隔　離

　植民地時代、疫病に対するスペイン人の姿勢は、疫病対策を図るという
よりは労働力の喪失への不安に貫かれていた。対策のために公布された勅
令は、大した違いがないまま繰り返され、総じて死文でしかなかった。

　先住民人口の激減は、基本的には現地生まれのスペイン人であるクリ
オージョから成る白人人口の相関的な増加を意味した。それは、メキシコ
を本質的に先住民国家ではなく、白人と先住民の混血のメスティソの国と

して特徴付けることであった。疫病が原因となった16世紀の人口危機は、17世紀に多大な経済的な悪影響を残したことから、17世紀は「恐慌の世紀」と表現されるに至った（Woodrow Borah）。

17世紀末と18世紀前半には、クリオージョ人口は安定化に入り、若干の増加すら見られるようになったが、先住民人口はそうではなく、漸進的ではあるが減少傾向が続いた。黒人奴隷が輸入されたとは言え、先住民の労働力は低コストのため好まれていた。18世紀も先住民共同体にとって状況に変化はなく、1737年〜1738年に発生し世紀末に大流行したマトラサウアトルの疫病によって再び壊滅状態を余儀なくされた。

在メキシコ市ヌエバ・エスパーニャの新聞は、1797年に最高潮に達した感染拡大の経路であった南東部の災禍を記している。疫病は国の高原地帯と西部に拡大し、その年は世紀最悪であった。チフスの存在と共に災難に追い打ちをかけたのは当時の未曾有とも言える旱魃であり、トウモロコシの生産を激減させた。

メキシコ市のタクバヤ教管区大司教であったアロンソ・ヌニェス＝デ＝アロは、悲劇を目の当たりにして、疫病時の死者数の増大への慰めとして慈悲深い祈祷を捧げさせた。そうした中、宗教的行動には、常軌を逸した場合には鞭打ちのような新たな慣行が加わった。1798年には疫病はメキシコ全土に拡大していた。

死の特権

死の分析は、多数の異形で構築される一つの文化の中で、一つの死観を提供し、死が現実的で共有するものであり不断の存在である中に置かれる人間の尋常ではない脆さを示す点で重要となる。

多様な死に様があり、それぞれが儀式を伴うことは社会の忠実な反映であり、植民地も例外ではなかった。全ての人は必ず死を迎えるとはいえ、全ての死が同一の形で具体化するのではない。植民地時代に、仰々しさの中で臨終を迎えている人は、高い社会的地位の集団であった。社会的集合の一般人の死ではなく、大家と見做されていた人々の死去を記念することが重要極まりないことであった。教区の信者に自己の存在の脆弱性を想起

させるのに必要な機会であった（Alicia Bazarte y Elsa Malvido）。

エピローグ

　本節で示した事実は、先住民に度重なり強制していた奴隷制について言及するだけの意図であり、我が国の歴史の中では、この制度こそが常に存在していたのである。その現象に対する社会の姿勢に、内容のない叙述文の羅列でしかない政府の楽観的政策が合わさると、実態は、数世紀来の先住民の服従のテーマとはニュアンスが異なるだけである。もし我々の社会のどこかで死に対する格差があるならば、それは先住民の領域であって、疾病率死亡率の特異的分布で立証されている通りである。

　先住民との社会的和解が不在の中で、先住民は COVID-19 という新たなパンデミックに対しても絶望的な状況に置かれている。

パンデミックと先住民社会　Ⅱ

> *私の心に忘れられない印象を残したもの…ひっそりとした人影のない通り…扉が全開で、祭壇に無数の灯りが灯った寺院、涙を流しながら腕組みをして跪いている人々…遺体を満載して横切る荷車が放つ陰鬱な軋み音…死の恐怖からの保護を委託されたかのような恐ろしい孤独と沈黙であった…*
>
> 　　　　　ギジェルモ・プリエト＝プラディージョ（1818 年～ 1897 年）
> 　　　　　　　　　　　　　　　　　　　　　　　　　『我が時代の回想録』

　啓蒙時代は新たな論理的思考形式をもたらした。全ての知識は、今後は、宗教の教義ではなく、理性に立脚しなければならなかった、というものである、この前提から、疫病に関する概念に激変が生じた。健康と予防医学の進展に重点が置かれ始めた。同様に、生きている人々から死人を、そして健康な人々から病人—そして高齢者と臨終を迎えている人々—をも引き離すことから成る*死の医療化*の方法論的基礎が確立した。

この新たな視点の中で、1802年7月に、カルロス4世の待医であったフランシスコ＝ハビエル・バルミスは、インディアス枢機会議の命を受けて、メキシコの地で最初のワクチン接種運動を開始した。しかしながら、伝統と迷信が刻み込まれた偏見が渦巻く社会の難色が立ちはだかった。

　エステバン・モレル（1744年〜1795年）というヌエバ・エスパーニャに定住するようになったフランス人医師は、現地で一層の強硬姿勢に直面した結果、自殺未遂に追いやられたという説がある。1779年に、モレル医師は取り調べを受けて、ワクチン接種を導入しようとした意図で投獄された（Liliana Schifter Aceves *et al.*）。

　ホセ＝イグナシオ・ホベは、副王領時代の衛生機関であったプロトメディカトの総裁を務めていたが、1813年のチフスの流行は神罰であると主張するに至った。しかしながら、このような説は、メトロポリスの社会的格差の存在に目をつぶるものであり、その現れの一つは、先住民族の貧窮と被害をもたらしていた服従状況であり、疾病と感染の温床そのものであった。

　当時の名士の間で、グアダラハラ市に名前を冠する救護施設を創設した博学の司教フアン・ルイス＝デ＝カバーニャスの推進の下で疾病予防のために埋葬方法が変更された。墓地は寺院から離れた都市部の外に作られた。18世紀末のメキシコ市で、建築家のマヌエル・トルサが共同墓地—当時導入された用語であった—のプロジェクトを立案したが、副王領の謎めいた官僚制度の中で消失してしまった。

　博学の聖職者は墓地に関する新たな規定を支持し、そのために、境内の威厳と品格を保護する必要性などを説いた。火葬はカール大帝の時代から禁止（785年）されていたが、その実施には依然として大きな障害が立ちはだかっていた。聖書の最後の審判での肉体の復活の教義と、聖霊の神殿としての肉体のカテゴリーに横槍を入れる可能性があったのである。

　墓地の移転をもたらす衛生計画への抵抗は、とりわけ貴族と聖職者から発生していたが、それによる信徒の教区教会への寄付金の減少を懸念していたからである。必然的帰結は自明であった。先住民用の墓は墓地に限定

された反面、富裕層の墓は教会の豪華な内装の中で棺台として置かれ続けた。

　1812 年には、予防措置にも拘らず、所謂謎の熱病の最初の兆候が現れ始め、1813 年にはメキシコ市も含めてチフスが感染拡大していた。

　本土出身のスペイン人と現地生まれのスペイン人—メキシコの社会階層化の主要な鎖の環であった—の間のヌエバ・エスパーニャの古い社会階層化は、社会的身分と経済的地位の理由で変貌した。都市の極貧区域では先住民が疫病の感染拡大を助長する不衛生な状況の中に押し込められていた。やがて、チフスは 19 世紀のメキシコでの第一の死因となった (Lourdes Márquez Morfín)。

　1833 年のコレラも過酷な傷跡を残した。これらは、北部の銀鉱のルートと南東部の両方からメキシコに入った。7 月と 8 月には既に国全土に広がっていた。メキシコからのテキサスの独立で頂点に達した戦禍は火に油を注ぐ結果となった。

　メキシコ市では先住民共同体の多くは、中心街にあったサンタ・クルス・イ・ラ・ソレダッド教区教会及びサン・セバスティアン教会の近傍に定住していた。両方の地区は死亡率が突出する地区となった (María del Pilar Velasco)。市の東部の住民も不衛生と社会的周辺化で突出していたため、疾病や度重なる疫病の被害者であったとも言える。

　国はその後も数々の疫病の流行により荒廃の一途を辿った。1857 年、1871 年と 1889 年は極度に危機的な年であった。1882 年には、南東部でコレラが拡大した。貧しい国の疫病と呼ばれたこの疾病は、メキシコの住民を苦しめ続けることになった。先住民共同体での最新の流行は、2013 年にイダルゴ州、ウエフトゥラ・デ・レィエスにあるオシュトマル地区で発生したもので、チンギニョソ川の汚染が原因であった。

パラダイム変化

　メキシコの 20 世紀は、1902 年のマサトランでの腺ペストの疫病と、ポルフィリオ・ディアス政権時に最初の衛生向上運動の立ち上げの契機と

なった国内の広範な地域で頻発した黄熱病と共に幕を開けた。メキシコ革命の真っ只中であった1915年には、発疹チフスが国を襲った（Miguel Ángel Cuenya）。

革命、飢餓、移住及び1918年のスペイン風邪の流行により、多数のメキシコ人が命を落とした。武力衝突による死者として記録されている200万人の内、30万人がこのパンデミックの被害者であったと推定される。

最も多くの死者が集中した地域は国の北部と、先住民人口が多数を占めるタクバ、トラルネパントラ及びアスカポツァルコなどのメキシコ市のスラム街であり、住民達は棺を工面できずに莫蓆で遺体を包む以外に手立てはなかった。トラスカラ、プエブラ及びモレロスのような州では救援の到来は遅れた（Lourdes Márquez Morfín y América Molina del Villar）。

革命後の歴代の政府にとって、公衆衛生の分野での懸念は当時の高い死亡率であった。公衆衛生に係る政策には今後は画期的な再構成がなされるようになった。フリオ・フレンクとオクタビオ・ゴメス＝ダンテスが保健改革で三世代を同定している。

第一世代は、包括衛生審議会と公衆衛生局の創設に相当する。この段階では、先住民共同体に対する対象の拡大は、1936年から1946年にかけて、当時保健の伝道者と呼ばれていた研修医の編入と、農村の共有地と協同組合への医療サービスの導入によって強化された。こうした戦略は、先住民族が居住する地区の不衛生な状況を緩和する一助となった（Miguel E. Bustamante Vasconcelos, 1898年〜1986年）。

改革の第二世代は、公衆衛生を象徴する機関の一つであるメキシコ社会保険庁（IMSS）の創設を含むが、収入の良い仕事という特権を持ち、保健サービスを利用するために分担金を支払っていた人々と、その他の市民―婉曲語法で未加入住民と称されていた―の間の格差が次第に生まれて行った。後者には先住民が含まれており、与えられていた権利は不明瞭であった。漸く1997年になって、IMSSが家族のための健康社会保険の導入によって考え方を修正した。

改革の第三世代は、1982年から1988年の間で、衛生に係る法的側面と国家公衆衛生機関、全ての人々に対するワクチン接種、衛生危険からの連

邦保護審議会（Cofepris）の創設といった戦略の増加に関して生じた実質的変化によって特徴付けられる。この改革の第三世代の典型は、衛生一般法（LGS）であり、憲法第４条の要点を明確化した法律である。この法律によって保健に於ける社会システムなどが確立され（1984年2月7日付連邦官報）、視点転換を図り、福祉国家を目指すものであり、目下、福祉のための衛生機関が採用しているモデルである。

LGSの原動力となる見解は、当然先住民を含む住民に対して、疾病がないだけでなく、物理的・精神的・社会的な完全な福祉国家を保証することである。それどころか、この法律は、衛生と薬の確保は無料、前進的、効果的、適時で、質が良く、無差別であるものと規定する。

LGSに連結することになったのが、対象拡大プログラム（PEC）、農村共同体プログラム（PCR）、農村保健プログラム（PSR）、IMSS未加入者対象の保健サービスの支援プログラム（PASSPA）、対象拡充プログラム（PAC）、機会創出プログラムの保健部門（Prospera）、社会的包含プログラム及び保健キャラバンまたは移動医療部隊プログラムであり、これらのプログラムは先住民共同体の心許ない衛生状態をいくらかは緩和することに成功した。

冷笑的な現実

メキシコの21世紀は、ネッタイシマカとヒトスジシマカによって媒介されるウイルス感染であるジカの存在と、デング熱とチクングニア熱の持続と共に始まった。これらの疾病は不衛生が産み出した結果であり、先住民族に災禍をもたらした。

国の南の国境は、保健の分野で迎え撃つべき状況を作り出していて、先住民の衛生状況の一つの原型と考えることは可能である。チアパスとそれ以外の東南部は、文化的な豊かさの卓越する地域であり、50種類の言語変種を持つ29の固有の言語が話されている。この地帯は、社会経済的・民族的・ジェンダー的に悲愴なまでの格差による汚名を着せられている。社会的排除と周辺化は、国家評価審議会（Coneval）によって極貧と分類された、その地域の先住民共同体が置かれている困難な状況に示されてい

る。

　先住民の現実は政府の巧言とは対照的である。劇的な事件には事欠かないが、その一例を挙げれば、チアパスでは10万人の生残新生児当たりの先住民の妊産婦死亡率は64％に達していることである（Héctor Díaz López y Gerardo González Figueroa）。

　文化的特異性に関する問題は、深刻な政治行政的不一致を生み出してきた。LGSは、保健省、連邦省庁及び先住民当局に対して、共同体を保険の面で扶助する機関の創設などの行動面で協力を命じている。

　同様に、LGSは、伝統医学の知識と開発の奨励及び適切な条件の中での実施を要求しているが、先住民の習俗を考慮しなければならないとしながらも、その習俗は蔑ろにされているのが実態である。更に悪いことには、垂直的な政策決定と中央集権主義的命令がまかり通っていた。移住も衛生に係る重大な問題を突きつけた。

　土着共同体への対応について行政当局が手を拱いている状況を前に、国家先住民会議（CNI）の報道官のマリア＝デ＝へスス・パトリシオ＝マルティネスは、COVID-19の予防策を緊急に実施するよう連邦政府に呼びかけた。

エピローグ

　国の先住民族が数世紀に亘り置き去りにされて来たことは、COVID-19のパンデミックに立ち向かうために必要な対策を、ツォツイル、ツェルタル、ソケ及びチョルという先住民族の言語に翻訳する要求を行う目的で、独立地域農民運動（Mocri）が行った連邦司法による保護請求（第五区地方裁判所、連邦保護民事裁判部門、保護329/2020）などがなされたことで明確に分かる。実際、米州人権委員会（CIDH）は、米州内のパンデミックと人権に関する2020年4月1日の決議で、パンデミックの影響を回避するために、先住民族に対して衛生面での資源と対策を供与するよう加盟諸国に厳命していた。

　サンティアゴ・エル・ピナルの前例は状況を的確に示している。チアパスの北部密林地域に位置するこの村で、持続可能な農村自治体プロジェク

トというプログラムの一環として、この自治体を、11 の町村に医療対応を行うために共同体病院（保健拡充サービスセンター）と大仰に呼ばれる施設を含めたあらゆるサービスを備えた、持続可能な町にするために多額の投資が行われた（2007 年 11 月）。ところが、プロジェクトを策定した当局は、住民が基礎的医療サービスを受けるために、自宅からの交通費に加えて、移動に 2 時間以上の所要時間が不可避であることを見落としていた（Cinthia Ruiz López）。

　保健サービスを受けるのに制限があることは、構造的な差別であり、明白な人権侵害であることを、高級官僚に繰り返し伝えなければならないであろう。存在の概念に関するアプローチの多様性は、異なった回答を要求する（国家差別防止審議会）。

　国連人権高等弁務官事務所の先住民族の権利に関する専門家機構（英語の略語で EMRIP）が、2020 年 4 月の決議できっぱりと表現したのは、以下の通りである。国家は、COVID-19 への対応策を考慮する際、文化的・宗教的伝統に対して最重要最大の敬意を払う義務を負い、この目的に関して先住民共同体に対する自由で事前の説明を受けた同意を求める必要もある。

　同様に、CIDH は、コロナウイルスが先住民族の最低限の生活と生存の仕組みに引き起こす甚大な影響について断固たる声明を発した。他ならぬこの鏡にこそ、メキシコという国は自己の姿を映してみて、COVID-19 のパンデミックへの対応を熟考すべきなのである。

Ⅱ．T-MEC（米国・メキシコ・カナダ協定）の 文化的逆境

T-MEC メキシコ文化の不運　Ⅰ

　メキシコ・米国・カナダ協定（T-MEC）の批准の前兆は幸先の良いものとなった。2019 年 12 月 19 日に、T-MEC は米国議会を通過した。メキシコでは絶賛の声が上がったが、文化の領域ではそうではなく、様々な性質の予言や分析がなされ始めたものの、この協定の適用の際の影響の大きさは推論止まりとなるであろう。

　T-MEC が米国にとって栄誉であることには疑問の余地はない。T-MEC の本文にある文化に係る部分はそれ自体十分に明示的であり、国は今やその結果に立ち向かうべきであろう。協定の発効は、文化関係の当事者の奮闘を要求するとされるメキシコ文化のエコシステムに深刻な影響をもたらすであろう。

　メキシコとカナダの場合では、両国は通商報復措置の範囲を目の当たりにし、また 2018 年 10 月に終了した一連の交渉を踏まえて、協定締結を余儀無くされた。協定は一つの本文の中に纏められているとはいえ、二国は異なった運命を辿ることになった。

　T-MEC の文化的側面に関しては、我々メキシコ人にとっては寝耳に水の話ではあり得ない。通商を議論する場でのメキシコ国家の行動を見ると、このテーマを考慮した試しがない。それどころか、メキシコは、理財だけが関心事項であるもう一方の極端の場で常に主張を展開して来たからである。

　歴史が差し示す時は今であり、それ故、T-MEC の文化的環境の有害因子が、メキシコ社会にとって看過されなかったことを明確にすることが必

要なのである。

近　年

　北米自由貿易協定（TLCAN、英語の略語でNAFTA）は1994年1月1日に発効し、その概念からすると、メキシコ国家の姿勢は、文化に係る章については目を瞑るに等しいものであった。この断言は根拠のないものではない。1988年1月に米国とカナダの間で締結された自由貿易協定（英語の略語でCUSFTA）に由来する文化産業に係る規定は、NAFTAでは、そのまま複製されたことを初めに考慮する必要がある。

　三ヶ国は、上述の規定がカナダと米国にとってのみ有効であり続けることで合意した（第2106条及び附属書）。NAFTAで保護される文化産業は、非常に広範囲に及んでいたことは、印刷または活版印刷の植字の区分けされた作業を除外し、機械印刷された書籍、雑誌、新聞出版物の出版、流通もしくは販売に言及していたことに見て取れる。

　そこには、映画またはビデオ並びに視聴用またはビデオ音楽の録音録画の制作、流通、販売または展示も含まれていた。最後に、機械印刷された楽譜による楽曲の出版、流通または販売及び放送が一般人による聴取を目的としたラジオ通信、並びに衛星及び放送網の編成サービスと共に、ラジオ、テレビ及びケーブルテレビに係る全ての活動も含まれていた。従って、メキシコの文化産業は、この保護の枠外に置かれたことが分かる。

　協定承認の根拠となった1993年11月18日の連邦元老院の意見書の議論は乱雑で、毒にも薬にもならない内容である。NAFTAの本文の束の間の注釈と見做すのは過言ではない。そこで達した唯一の結論と言えば、例外の分野で、通商面で国の国際的約束に対して自治の十分な余裕を残した国家主権と安全保障の原則との一致があることを控えめに決定しただけである。メキシコの文化産業は、元老院にとってはいかなる注釈にも値しなかった。国の文化的主権の防衛への何らの懸念もなかったのである。

　20世紀の90年代以降、とりわけ21世紀の初頭にはより熱心に、NAFTAの承認後の米国の戦略は、明白な変貌を遂げた。電子商取引の全面自由化を推進し始めたのである。文化財・サービスの伝統的商取引へ

の制限は、戦略の優先順位の中にはなかった。それで、そこに影響を及ぼさないような伝統的文化政策に課された条件は大なり小なり受諾された。

　文化産業の未来はデジタルエコシステムにあるとする仮説は証明された。この前提は、T-MEC での情報のような必須部門に於ける米国の優位を紛れもなく約束するものであった。戦略には AI が含まれ、それによって。域内貿易だけでなく必ずや世界貿易をも激変させる加工製品・サービスの創出を可能にすると目された。

　米国の戦略の中でもう一つの要は知的財産権であり、無形文化のコンテンツの使用権の許諾に係るような厄介な問題を提示している。実際のところ、多くの取引に於いて、取得した文化製品が物質として意味を持つことは決してない。文化的コンテンツ利用権の所有及び移転の分野での商取引の性質、または情報的プログラム（software）の開発に関する商取引の性質を決定するのは知的財産権である。電子商取引との相互作用を規制する知的所有権の新たな定式は、米国の利害にとっては根本的なものとなっていた。オンラインで取得されダウンロードされる音楽や映画を見れば明白である。

　新技術は、広く一般人にとって、自由な流通をしていて利用可能な非物質化された文化的表現のより多くの拡散を可能にする。T-MEC は、メキシコの文化的表現がデジタルの領域に参入するための形式と、不都合で不平等な環境の中での文化的特有性を誇る文化的創造者を応援する方法の再構築をメキシコに迫るであろう。我が国のデジタルエコシステムの明白な変質は、文化政策をそのエコシステムの特異性に早急に適応させなければならないという課題を突きつけている。

　電子商取引と知的財産権は、T-MEC 内の文化面の主軸の二本を構成しているのである。

これまでの経験

　通商を巡る新たな動態と電気通信での技術の飛躍的進歩は、中華人民共和国の通商的地位の強化が加わり、所謂アジア太平洋経済協力（英語の略

語でAPEC）に於ける自由貿易協定の推進に米国を向かわせた。尚、APECは1989年に設立され、メキシコは1993年になって加盟した多角的コンクラーベ（秘密会議）である。

　APECで、環太平洋パートナーシップ協定（英語の略語でTPP）が承認され、2016年2月に署名された。しかしながら、2017年1月に米国の新政権はTPPからの離脱を表明した。その他の加盟国―ブルネイ・ダルサラーム国、マレーシア、ペルー、日本、シンガポール、ニュージーランド、オーストラリア、ベトナム、チリ、カナダ及びメキシコは、性急且つ秘密裏に代わりの協定の交渉を余儀なくされた。それがメキシコにより2018年2月に署名され、後に批准された、環太平洋パートナーシップに関する包括的及び先進的な協定である略称TPP-11（英語の略語ではCPTPP）であるが―先進的という言葉は婉曲的にならざるを得ない。TPPは、T-MECがそのモデルとした経緯があるため、本分析にとっては重要な項目である。

　TPPとCPTPPの両協定に於いて、文化部門での自由化の度合いは歯止めがかからなく、メキシコとしては、国によって受諾されただけでなく後押しされていた文化開放には前例がない。我が国の通商相手国であるカナダとの違いは一目瞭然である。カナダは、当該分野の様々な章での多様な範囲の文化的留保及び条項を策定した唯一の国であった。メキシコは、書籍、音楽、映画、テレビ番組のようなメキシコの文化的表現を制作、加工及び放送するデジタル技術に関しては、いかなる介入も差し控えた。メキシコ国家の行動は、我が国の文化的表現については完全な放棄であった。

世界貿易機関

　WTOは今や下弦の月である。内需を明らかに力説する脱グロバリゼーションのプロセスの存在に関しても論じられて来ている（Walden Bello）。イデオロギー的に新自由主義に立脚する自由貿易が立つ岐路は、複雑で逆説的な様相を呈しているため、丹念な分析を必要とする。

　新自由主義に寄せられた不満が既に対決戦略と化した状況にあって、世

界的に多くの社会でこのイデオロギーへの不満が高まっている。予測は憂慮すべき色調を帯びている。危機がもたらす不安定の影響によって、新自由主義的秩序を再確認するための口実となるのがこれらの危機であり、切望される結果は社会的抵抗の弱体化でありうるという予測に達した（Naomi Klein）。

　T-MEC に極めて重大な影響を及ぼした重要なテーマが議論された場は、正しく WTO のフォーラムである。WTO は、1993 年 12 月にモロッコのマラケシュで終了した所謂ウルグアイラウンドの結果として、1995 年 1 月に設立された。WTO の主軸は二本の協定である。一本目は 1994 年の関税及び貿易に関する一般協定（英語の略語で GATT）で、物品の自由化を律するものであり、全ての物品は、明確に除外されたものを例外として自由化されるとするポジティブリスト方式の下で形成された。

　二本目の軸はサービスの貿易に関する一般協定（英語の略語で GATS）であり、ネガティブリストの原則の下で構築された。このことは、明確に記録されたサービスに限って自由化されることを意味する。その議題の中には、自由貿易を情報上の無差別の原則と両立させようとする意図を想定しているため、最も討議されたテーマの一つである電子商取引が入っている。

　2017 年 12 月にブエノスアイレスで開催された第 11 回 WTO 閣僚会議は、電子商取引が論点に入っていたが、控えめに言っても期待外れの結果に終わった。しかしながら、商取引部門が成長を促し、デジタルの破壊を低減できる環境であることを保証する目的で、開発のための電子商取引有志国グループの結成に漕ぎ着けた。議論のたたき台になるような公開文書は、今日に至るまで発出されていない。

ヨーロッパモデル
　文化的表現保護の部門での指示対象の一つが欧州連合である。最近の技術的進歩を理由に、欧州は視聴覚媒体サービスを新たな現実と消費者の習慣に適合させる目的で、その提供に係る指令 2010/EU の検討を行ったことで、逆説的にも T-MEC の交渉が終了していたときに新指令

（EU2018/1808）を施行した。新指令には、Netflix, Facebook 及び YouTube のようなビデオやソーシャルネットワークのプラットフォーム（土台）並びに所謂 *live streaming*（ライブ配信）の直接拡散が含まれているので、より広大な効力を持つ物理的環境を有する。

　主要項目の一つが、プラットフォームのカタログの中の欧州コンテンツを最低 30％と定め、欧州的価値観を強調する規準の開発を加盟国に義務付けることである。この指令を垣間見て見ると、文化に係る範囲（第13条）を詳述していることが分かる。それどころか、加盟国に対し、欧州の文化的創造者と製品を支援する目的で欧州作品の制作への融資に協力するために、義務を課すことを許可している。

エピローグ

　メキシコは、最低限の社会的抵抗を行うこともないまま、文化に係る戦い、それは恐らくは歴史の中で最も重要な戦いの一つに破れた。

　T-MEC の母体は、固有の特異性を従えて文化的領域で TPP に反応し、メキシコの文化的創造者にとって明白な懸念を与えるような、この分野での最大限自由な体制を採用した。その対極にあるのが欧州のモデルであり、文化条項は常識であることを証明するその他の国際通商条約・協定でもある。しかし、メキシコ国家はそのように理解をせずに、相変わらず通商のフォーラムでは信じ難い重商主義の姿勢を崩していない。それによってメキシコの芸術家や当事者を苦境に陥れているのである。

T-MEC メキシコ文化の不運　Ⅲ

　2020 年 1 月 29 日、米国は T-MEC の批准を終えた。メキシコはまな板の鯉として、今やこの新秩序の結果に直面することになる。

　20 世紀の 90 年代に起きた電気通信の飛躍的な発達は、バーチャルカルチャーへの移行を推進した。それにより、文化的表現は目まぐるしい勢いで増加を始め、世界中でうねりが生じた。これらの現象は、文化的価値観

の連鎖に抜本的な変容を引き起こして来たことを意味する。創造、制作、流通/拡散及びアクセスの全段階の構造は、以前は線形であったが、今や放射状を呈するようになった（Octavio Kulesz）。

　デジタル文化は、拡大一途の文化的表現の提供と促進の新たな形式を生み出した。その結果は、文化に係る主役達の機能の再定義に他ならなかった。

　上記の状況は、主に新技術へのアクセスが均等でない理由で、メキシコの文化多様性の保存を巡って大きな課題を突きつけている。実際、この情報の領域では、格段の進歩を遂げている文化部門もある反面、大きく遅れを取っている文化部門もあり、この事実は文化多様性にとって混乱要因となっている。

　それどころか、我が国の文化的表現の発達は、情報の範囲（スペクトラム）に蔓延る支配者によって阻害されている。世界の人々向けて文化的表現を際限なく創出できる企業のことであり、所謂 GAFAMI（Google, Amazon, Facebook, Apple, Microsoft 及び IBM）を指している。

　情報支配を通じて、このコングロマリットは主流文化の世界的な拡散を確保する一方で、それ以外の創作者に取っては、自己の文化的表現の拡散の余地は狭まっており、必然的に周辺化に追いやられる。支配的なオンラインサービスは、本質的に重商主義的動機でありながら、メキシコの価値観を発揚しようとするというのは浅薄な想像であろう。

　その技術へのアクセスは限定的であり、それ自体では十分ではない。技術を管理するためには、創作者の側での熟達が必要であり、デジタルエコシステムの中で拡散しようとする作品の制作費は自己負担が前提である。

　物品とサービスの区別が煩雑になると、この状況は一層の複雑さを帯びる。コンピューターによるサービス、付加価値のある電気通信サービスと視聴覚のサービスを区別することも困難である。そのため、T-MEC に於いては、文化財または文化的サービスを含む*デジタル製品*という用語を採用せざるを得なかった（第 19 条 1 項）。

　デジタルエコシステムでの物品とサービスの分類上の障害と、伝統文化

政策を新技術がもたらす現実に置き換える上での困難は、ワシントンが、文化の分野での自由貿易協定の文化条項の拒絶に焦点を絞った戦略をより明確に打ち出す上で追い風となった。

　このように、米国は比較的近年まで、文化への助成金が通商協定の枠外に置かれていたことを容認していたのである。

技術の中立性

　とは言え、メキシコの文化的表現に対する障害は生易しくはない。これまで示されて来た様に、WTO の内部から行われていることで、物品とサービスは適用規則が別々であるため、国際的な義務も異質な性質を帯びることになる。

　物品は、関税と貿易に関する一般協定（英語の略語で GATT、1994 年）により規制されており、サービスの場合は、サービスの貿易に関する一般協定（英語の略語で GATS）である。後者は、各国家が国内市場のどの分野にどの程度の参入を認めるべきか、誰に対して内国民待遇の恩恵を与えるべきかを決定する。然るに、メキシコが T-MEC で合意した内容はそうではない。

　最も物議を醸したテーマの一つは所謂技術の中立性である。討議は、GATS の理事会が WTO の一般理事会に提示した 1999 年 7 月の電子商取引作業計画（Work Programme on Electronic Commerce）から始まった。この報告書では、サービスの提供は特定の技術に限定（固定）されるべきではないという意味で、技術は中立であると結論付けており、技術の中立性の広義の解釈に基づいている。この立場は、電子商取引での完全な開放を作り出すために、米国が音頭を取り、欧州から広い支持を得たものである。

　発展途上国は反対を表明した。技術の中立性は、電気通信が飛躍的進歩を遂げた中で常識であると見做すことはできないとし、その主張を額面どおり受け入れることは、締約国による規制の自由を損ない悪影響が残ると考えた。必然的帰結がわからないまま新技術の利用を拙速に承諾するようなものであると論じた。開発途上国は、技術の中立性の制限的な解釈を要

求するに至った。

　20世紀の90年代は、クラウドコンピューティングを通じて、無限の多様性のデータ移行が可能となる技術を欠いていた。現代ではこの側面は高い認識を得ている。T-MECでのメキシコの様に、技術の中立性に広義な解釈を与えていた開発途上国は、今後の新技術利用の規制に支障を来すであろう。

　情報送達の新たな形式であるとする米国の論調は断じて認められない。メキシコはT-MECで国境を超える情報の非制限の流れについて合意したことで、GATSの合意事項の条件でのサービス調達の恩恵に浴する機会を逸した（GATS前文及び第23条）。

　メキシコの文化的表現はこの不利なデジタルエコシステムに浸かっている。しかしながら、T-MECの枠組みの中では、メキシコ側でのいかなる文化的足枷も、自由貿易に異を唱える差別的措置または保護主義のカムフラージュとして理解されかねない（T-MEC第19条11項）。

　更に、技術の中立性の広義の解釈を受容するに至る重大なリスクを付け加える必要があろう。国内経済の部門の中には文化的表現の場合の様に、抜本的な技術変化を受けてきていないものが存在するからである。

　米国の立場は、OMCの紛争解決小委員会（パネル）で展開されたChina-Publications and Audiovisual Productsという象徴的な先例の中で支持された。EUは第三者として米国の行動の支持に加わった。他の議論の中で、中国は、WTOに参加する時点で、後に開発されうる技術が存在しなかったので、そうした技術については事前同意を与えなかったと主張し、自らの立場を擁護した。パネルは、技術の中立性を根拠にこれらの議論などを拒絶した。

　T-MECの枠組み内での米国のデジタル戦略は、明確に述べられた原則を除き、自由化の原則が一般的に適用されることから成るトップダウンとして知られるものであった。T-MECの中では、メキシコは何らの例外についても同意しておらず、未来の技術の結果がどういうものか不明であっても、その技術は受諾済みである。控え目に言っても、この決定はWTO

が運営の在り方である慎重さに真っ向から対立する（T-MEC 第 19 条 3 項 1
号）。この慎重さは、新技術を通じて電子商取引を規制する権利を留保し
た日本のような先進国自身が、逆説的に妨げて来たのである（2004 年 9 月
のメキシコ合衆国・日本経済連携協定附属書 7）。

　これらの事象は、情報民主主義、インターネットの中立性及び新技術に
関する問題のように、多岐に亘る性質の新たな社会的・法的問題も引き起
こしている。

インターネットの中立性

　メキシコが批准した UNESCO の 2005 年の文化的表現の多様性の保護
及び促進に関する条約（UNESCO 条約）は、デジタル文化の分野での代替
手段の創出のための根拠となって来た。この条約に従って、メキシコは、
自国の文化的表現の多様性を保護・保全するための政策及び対策を立案・
施行する義務を負った。UNESCO 条約は、国際社会の加盟諸国に対して、
自国の文化的表現を保護する特権を残してある。

　メキシコが承認したデジタル世界での 2005 年 10 月の条約の実施に関す
る運用指令（指令）を見ると、文化的表現の通商/文化という二元的性質
は、デジタルエコシステムの中で変質させてはならないことが明確にな
る。文化的デジタル製品は、様々な価値と意義を携えており、特別なス
ペースを有するに値することは紛れもない。

　インターネットの中立性と普遍性は、文化的デジタル製品への公平なア
クセスの保証を余儀なくする。メキシコの創造物が芸術、情報及びコミュ
ニケーションでの表現の自由とその必然的帰結の実質的な部分であるとい
う事実にメキシコの交渉団は目を瞑った。そうした自由は今や T-MEC
の中で範囲を厳しく限定されている我々の基本的自由が擁する武具一式の
中身であるのに、である。次のことを力説する必要がある。インターネッ
トの基本は自由で包摂的で普遍的で多文化的で民主的であるべきである。

T-MEC

　T-MEC の交渉は、透明性の欠如によって特徴付けられた。機密性とい

うマントにくるまれた交渉の中では、文化的懸念を巡る真剣な議論は不可能であった。UNESCO 条約の中で引き受けた国際的義務の力は、メキシコ国家に何らの懸念も掻き立てなかった。メキシコ国家が合意した完全自由な制度は、第 10 章に組み込まれた繊維、手工芸品、伝統的・民俗物品などを含んでいる。しかし、その自由な流通と免税は、T-MEC の調印者間での事前合意を必要とする（第 6 条 2 項）。

先住民の権利擁護は、領土内に定住する民族を考慮に入れて米国がカナダの提案を受諾したものだが、重大な書き込みを伴う。保護は、他の調印国に恣意的または差別的な方策として実施する、即ち通商制限を重ね合わせることができない、というものである（T-MEC 第 32 条 5 項）。その点に関するメキシコの沈黙は、雄弁以上に多くを物語るのである。

メキシコの文化産業に関するあらゆる論述は、今や無意味で空虚でしかない。文化産業の保護はカナダに対してのみ有効であり（第 32 条 6 項）、メキシコは全くの無防備の状態で為す術もない。尤もカナダの例外は、T-MEC の規定に適合させるか、または米国の通商報復を甘受せざるを得ないため、重大な制限が課されている（第 32 条 6 項以降）。従って、カナダの防御は高くつく可能性を孕んでいるとも言える。

エピローグ

ユネスコ条約は、自由貿易協定の拮抗勢力として、また自由化に替わるモデルの出現を後押しする目的で立案された。WTO も慎重さを訴えたのは何とも皮肉なことである。メキシコの高級官僚は聞く耳を持たなかった。国の文化的利害への重大な損害が及ぶ中、メキシコ国家は、代替的文化モデルを推進する好機を逃した。その上、国が状況緩和のための規制措置を打ち出す可能性はないまま、技術格差は手の施しようのないほどに広がるだろう。

通商上の悪意は T-MEC 全体に浸透しているが、今は合法性に支えられている。国全土がその標的と化し、今後は、文化は例外にあらずという容赦ない精査に晒されるであろう。

メキシコ国家による T-MEC のなし崩しの承認は、国に課された文化

モデルを合法化した。今や主流文化は、確固たる合法性を笠に着て、メキシコ人の夢と幻想を封じ込める容器になるだろう。

T-MEC メキシコの「文化的例外」の空虚

　米国・メキシコ・カナダ協定（T-MEC）及び同追加議定書は、メキシコと米国の議会を通過した。三番目の国の庶民院は、2020年1月27日に作業を開始し、同年4月に協定は、審議及び最終的な承認のために本会議にかけられると見られていた。託宣は首尾よい結果となり、協定は7月に発効した。

　メキシコは、今や合意内容の結果に直面しなければならない。しかし社会の反応は鈍く、漸く目覚めの兆しが見え始めたとは言え、文化の領域は依然として微睡み状態であった。（協定文の）最終本文の中に、メキシコ政府は文化的例外と見做したものを含めたことが指摘できる（第15章、附属書15E）。前置きという形で記された一連の考慮事項が異例な形でこの文化的例外に先行した。しかし最も重要なことは、文化へのいかなる言及もT-MECの序文になされなかった。

　本稿の目的は、文化的例外（スペイン語の略語でEC）を含めることによって、メキシコ国家による問題を軽視する認識を是正しようとした国民文化の防衛に対するメキシコの交渉団の虚しい努力を明らかにすることである。それによって、誰も文化の名の下に文化の放棄を論じようとはしないし、表明などは論外という説が確認される。他方、ECの本文は、文化保護の取組みへの実に積極的な空気感が漂っているのに、である。

　この話題を含めても単に困惑がより高まるにすぎない。文化政策の立案は同分野での国の主権そのものであり、T-MECという複雑な協定の交渉の変転に晒されてはならなかったことは一目瞭然である。

　ECを完全に理解しその影響を思い描くには、いくつかの変数を分析する必要がある。

いかなる通商協定にとっても最も重要な軸は内国民待遇と最恵国待遇である。分かりやすく言えば、前者に従って、メキシコは、調印国に対して、物品と同様のサービスの商業化に関するメキシコ人、米国人及びカナダ人と同等の待遇を与える義務を負った（T-MEC 第2条3項）。全体の規則は疑う余地がない。メキシコは、自国民と T-MEC の調印国の国民を国内市場で区別しないという義務を負うからである。

　他方、最恵国待遇によると、メキシコは、T-MEC の調印国の物品、同様のサービスまたはサービスの調達者に、同様の状況の中で物品、サービス及びサービスの調達者について T-MEC の調印国のいずれかまたは同協定と無関係の国に対して与える待遇と同様の待遇を与えることを余儀なくされた。

　原則は揺るぎない。署名国のいずれか及び他の国原産の物品またはサービスに対してメキシコが与えるいかなる利点、恩恵、特権または免除も、米国、カナダの領土内で産出される類似したあらゆる物品またはサービスに対して、即時・無条件に与えるものとする（GATT 第一部第1条、サービスの貿易に関する一般協定［GATS］第2条、T-MEC 第15条4項）。

　この二本の軸に商業的存在または立会いを付け加える必要がありそうである。これは、サービスの調達が、その提供に於いてメキシコ領土内で物理的存在を必要とするような場合に与えなければならない恩恵を指す（GATS 第1条2項）。

良　心

　内国民待遇及び最恵国待遇の影響などを緩和する目的で、メキシコは、若干の制限を策定し（T-MEC 附属書 I 及び II）、それに例外の文章として狭義の解釈を要求する EC を付け加えたが、それは文字通りに履行する必要性を意味する。しかしながら、そして力説しておくべきことであるが、実に驚くべき形で EC が、国が T-MEC 自体の附属書に既に記録しておいた内容を、一字一句違えずに再現したことである。協定文の本文をざっと照合すると反論の余地がない。

この証拠は、既に合意していた内容の要約である EC の文章自体に表現されていることでより強固になる。結論は許し難い。EC を含めたのは、文化に関するメキシコ国家の躊躇が曝け出す言い逃れとして、こうした考慮を EC の文章に反映させる必要があった。更に酷いのは、文化的不適合のいかなる兆候をも抑制するように向けられた凡庸な工作にすぎなかったことである。

様々な程度で何らかの考慮に値した唯一の文化産業は、無料配信のラジオ・テレビ、紙媒体の新聞（無償でなく毎日発行される、メキシコ市民向けの国内流通の新聞）、映画、視聴覚製品のサービスであり、投資及びサービスの国境を超えた通商という特定の商業・金融の 2 部門に限定される（第 14 章及び第 15 章）。

この文化的例外の見せかけの文化的真価は、無料配信のラジオ・テレビ及び日刊紙を印刷する企業への外国投資を制限することにある。実際のところ、両方の例外は、メキシコ投資（51％）の特権という共通項を持っている。しかしながら、この文化的真価は瞬く間に消えてしまうものである。何故ならば、外国投資政策については、T-MEC の締結よりかなり以前に、また爆発物、火器、薬莢、武器弾薬、花火を商業化する企業のように、文化以外の事業目的を一義的に追求することが基づく合理性の下で、既に外国投資への制限は法制化されていたからである。

この政策は附属書に既に具体化されていたため、EC の中での再現への反応は困惑以外の何ものでもない。国民的同一性（national identity）の頑な擁護者である EC の経験豊富な執筆者達の本音が白日の下に晒される（外国投資法第 7 条第Ⅲ号 q、y 及び x）。

それどころか、国家外国投資委員会（CNIE）は、外国または外国の政府（政府系ファンド、外国籍企業または機関を含む）が、電気通信またはラジオ放送のメキシコの被許諾者企業で 49％の比率で参加することに、メキシコでは何らの法的障害も存在しないと主張する（連邦電気通信ラジオ放送法/LFTR 第 77 条）。

EC 及び附属書Ⅰでの合意内容を踏まえたこの基準の内容は、控え目に

言っても深刻な疑問点を投げかける。実際のところ、こうした疑問点と附属書Ⅰは、商業目的用単一許認可—この許認可に付与された権利、企業の施設、補助サービス、事業所または付属品及びその他許認可に割り当てられた物品—は、いかなる状況下にあっても、いかなる外国の政府または国家に完全または部分的にも譲与、課税、担保または信託処分、抵当もしくは譲渡されることはできないと主張する。

　簡潔に言うと、T-MEC は、投資の部門では投資家がいる国に存在する相互性を前提としており、新たな単一許諾の付与は、CNIE の好意的な意見の取得を義務付ける。
　EC には称賛すべき目的が多い。EC を信用しなければならないならば、メキシコ国家は、ラジオ放送で国民としてのアイデンティティの価値観を促進し、同部門の被許諾者がスキームの特徴と歩調と調和するメキシコの文化的表現と共に、同価値観の活用・奨励を保証する約束をしていたことである。この方策は LFTR の規定を再現する（第 249 条）。
　商業的存在または立会いは、附属書同様に EC に於いて、日々の番組編成に当たりメキシコのコンテンツとメキシコ人労働力の雇用時間を多く取ることを保証する。

特異性
　無料配信のラジオとテレビ、単一許諾及び国内法と調和する周波数の広帯域の許認可に関しては、メキシコ人または国内法規に従って設立された企業のみに与えられる。
　社会的使用及び先住民を対象とする使用のための許認可は、ジェンダー平等の原則の下で先住民の諸言語、文化、知識、伝統、アイデンティティ及び内規を促進、発展並びに保護する目的で、先住民族・共同体に付与されるのは言を俟たない。従って、複数ある国語の使用には言及されていない（LFTR 第 230 条）。かかる制限を伴うこの提案は、自国に先住民族（*first nations*）を抱える米国によって容易に受諾された。
　然るに、疑問点は突如生じる。上記の引用文があれもこれもと盛り沢山

である一方で、主張の内容には反論の余地がないからである。市民社会の非営利団体並びに非営利目的で文化的・科学的・教育的・共同体的目的を追求する団体が、メキシコの国内法では付与されているこの恩恵から除外されていることを理解すべきなか（連邦電気通信ラジオ放送法/LFTR第67条、第Ⅳ号、第76条Ⅳ号、第85条及び第87条）。

更に深刻なことがある。英語文は明白で、先住民を対象とする社会的使用への許認可の恩恵を制限する。起点言語（翻訳する前の原文の言語）の英語からスペイン語への翻訳の不正確さが明白であるばかりか、スペイン語版の文章は、附属書Ⅰとも矛盾が存在するのである。

公共利用のラジオ放送の許認可は、連邦公共機関への売却により得られた資金及び税控除の対象となる寄付とで、公的予算によって出資される（LFTR第88条及び第89条）。疑問が猛烈な勢いで発生する。これらの機関の法的枠組みは目に見えて変動し、融資は深刻な状況にある。

映画公開のサービスについては、唯一の言及は全公開の10％を国産映画の上映に当てることを公開者に義務付けることである。映画館（興行）主（"exhibidor"）と言うスペイン語の用語の意味論は、近い将来極めて重要になるであろう。これは英語である起点言語で表現されていて、スペイン語へは直訳で、"exhibitor"という英語が自動的にそのまま"exhibidor"とされたことを指す。

されど、米国にとってこのテーマは極めて微妙であり、少なからぬ経済的重要性を帯びている。合意内容に従って、米国はメキシコの映画産業の場を最小限に制限し、とりわけ米国により開始された最近の管轄に係る判決並びに多角的通商交渉及び国際経済フォーラムへの参加状況を注視すると、メキシコの映画館だけに、メキシコ映画の公開に関して合意したメキシコのコンテンツの10％の上映を許可することになりそうなのは明白である。

国内法に関しては、10％は映画館でのメキシコ映画の公開だけになり、メキシコが国際条約で合意した上映時間の条件がある場合はその限りではないが、映画に関しては従来そのようなものはなかったのである。メキシ

コの高級官僚の目一杯の野心は、国内法を EC の中に再現することであった（連邦映画法［LFC］第 19 条）。

　しかしながら、解釈に当たっての国内法の援用は容認されない。T-MEC によると、"exhibidor" の解釈は、仲裁の場合は、国際公法で承認された不文律に基づき行うとするからである。このように合意されている（1969 年 5 月の条約法に関するウイーン条約第 31 条及び第 32 条）。従って、"exhibidor" という語彙のメキシコにとっての意味を考えるのは無意味であることになる（LFC 第 18 条）。

　国内法による要求事項を分析すると実に驚愕の事態になり、明確にしておく必要がある。国内の映画産業は、芸術的・教育的表現の媒体であり、社会的関心を持つ文化活動を構成する。映画制作が国民的一体性のまとめ役（カタライザー）であり、メキシコ映画は文化的・芸術的・独創的でかけがえのない作品である（LFC 第 4 条）ことから目を逸らすのは、厚顔無恥そのものであった。

　EC に記載されている商業項目の最後の項目の見せかけだけの保護は、視聴覚サービスが対象である。記録されている文章は、その不十分さや不足による感傷的で婉曲的表現の羅列である。その文章の中に、メキシコは、視聴覚サービスの部門に関して、市場アクセスの義務で限定的約束を引き受けるだけであるという部分がある。この不安定な保護は、意図する対象の規模としては空虚である。一つの名詞で簡潔に表記することができないため、だらだらと文を書き連ねて、結果的には何の意味もない内容になってしまった。

　控えめに言えば、視聴覚コンテンツの独立した制作者は、保護という蚊帳の外に置かれている。法的には、その制作者は国、地域または地方レベルで視聴覚作品を制作し、電気通信またはラジオ放送の許認可を受けておらず、指揮系統に基づく被許諾者によって管理されていないメキシコの自然人または法人である。デジタルエコシステムでの我が国の文化的表現の豊かさの根源の一つが、正にそこに存在することが軽視された。

　国民の制作、特に映画制作の知識または芸術、科学、歴史及び文化の知

54

識を促進する法規定の保護を、官僚の記録簿に記載させるために送致するに留めた（メキシコ国家のラジオ放送公共システム法第7条）。

エピローグ

　T-MEC の締結を終える緊急性は、メキシコの交渉団の文化への不適切な扱いに対する多くの説明の一つであるが、その当事者らは、明らかに非民主的な行動を取り、国民の利益より放漫、尊大と虚栄心を優先させた張本人である。それによって、市民社会から、自らの名前で合意した本来市民社会が尊重すべき本約束事項に関する真剣な議論を阻害した。メキシコ文化を孤立無縁の状態に閉じ込め、将来を奪い取ったのである。

　異なった文化の雛形を提案する上で重要であった文化プロジェクトを欠いたメキシコの高級官僚の奇矯な行動は、今に始まった事ではない。本稿で示したのは、T-MEC はメキシコにとっては承服できない文化的服従を意味して来て、今後もその主張に変わりはないことである。今や、メキシコ文化は無防備にも破格な挑戦に直面している。歴史がメキシコ文化に対するこの攻撃を行った者らに寛大たることはありえないのである。

T-MEC メキシコ文化へのレクイエム　　Ⅰ

入祭唱

主よ、絶えざる光で彼らをお照らしください。
　2020 年 7 月 1 日は T-MEC の発効日であり、メキシコ人の集合的記憶の中に今後も残存する輝きとなった。兆候は幸先の良いものであり、憲法上の儀式は、この協定の批准プロセスを完遂した。

　今や現在と関係付けて協定の過去の経緯を考察する時が来た。判定は明白な結果を示し、そこでは、T-MEC は米国にとっての栄誉であるのは言を俟たない。

　協定の当初の名称は実に示唆的である。英語での略語と米国の略称（USMC）の採用が優遇された。米国との関係性は議論の余地はなく、締結までの米国の主導的立場も然りである。その状況を目の当たりにしたメキ

シコ国家はスペイン語での名称の議論に時間がかかり、結果的に T-MEC（Tratado México-Estados Unidos-Canadá）という頭字語を採用するに終わった。

　協定の交渉中一貫していたのは、起点言語は常に英語であったという事実である。火に油を注いだのは、前メキシコ元首はその言語で署名して、6 年の任期中に言語的知識の心許なさが明白になったことである。それにもかかわらず、自国の言語ではない言語を優先し、後日漸く、条文のスペイン語訳が施されるという顛末であった。

　メキシコでの予備的分析は、米国通商代表部（米国の専門用語で Office of the United States Trade Representative: USTR）の常時閲覧可能なポータルサイトにアクセスして行わなければならなかった。

　T-MEC は、基本的にはメキシコ側での連邦行政の憲法の定める期限満了が迫っていた異常な緊急性の下で交渉された。いかなる通商交渉の結末に於いても、当事者の切迫が、脆弱性を看取するもう一方の当事者を利するのは黄金律であり、更に、T-MEC 自体の複雑性と、国内外の時代的要因が討議を迫り、状況を完全に理解咀嚼する過程を必要とするという事実があるが、この種の協定文については、その重要性は尚更のことである。

　最終的に、2018 年 11 月 30 日に開催された G-20 の第 13 回会合の開会式のときに、そしてメキシコの連邦行政が断末魔の叫びを上げる中、T-MEC はブエノスアイレスで署名された。議会では憲法上の行為が続いた。元老院の現立法会期は 2019 年 6 月に当該協定を一致して承認した（2019 年 7 月 29 日付連邦官報）。それにもかかわらず、米国政府は、思いがけなく、2019 年 12 月の 1 本の修正議定書と 2 本の並行協定の署名の際生じた議論を再開した。

　元老院による承認は満場一致であり、署名 2 日後にさほどの慌しさもなく行われた（2020 年 1 月 21 日付連邦官報）。米国連邦議会は、米国民の全ての要求が満足された後、本年（2020 年）1 月 29 日に相応な手続きをした。

　T-MEC の批准に伴い、自由貿易を標榜する地域圏構築の草分けの一つで、疑いなく世界の他の地域にとって参考になる一例でもあった、1994

年1月1日に発効した北米自由貿易協定（TLCAN, 英語の略語ではNAFTA）を葬る突破口となった。しかしながら、メキシコでは謎めいた休眠状態が終わり、討議が始まった。この分析は、その他についても続けて行う必要があるが、財とサービスを含む文化産業とその製品に対して集中的に行われる。文化産業は、経済、文化およびその様々な表現の間での不安定感が否めないインターフェースを均衡させようとする状況の中に取り込まれる。

　従って、安定的で確実性の高い地域商業システムの創設が、この均衡の確保を求めることは予想されていた。原産地規則の前提は立場の明確化を迫った。文化的表現は、自由市場の成り行きに任されるか、国の公共政策に対応する規則の下に置かれるかの二つの選択肢の中で、メキシコは無条件で前者を選択した。

キリエ

主よ、憐れみたまえ…

　確かにT-MECは複雑な天啓を得た。それでも、メキシコにとっては何よりも重要であったことを強調するまでもない。国内外の期待の中に明確に表明されている以上、尚更のことである。

　メキシコの環境の中では、この協定の重要性は実際の適用によって初めて理解されうるのに、T-MECの締結への多種多様な好意的表明とは異なる声を耳にすることはまずなかった。しかしながら、今からいくつかの影響を予測することは可能である。この分析の目的で、T-MECが発展させる文化モデルを強調し、それが国益に叶うものであるか否かを評価するのは妥当である。

　国際的な文化保護に当たって考慮する変数はどのようなものであったか、また文化の存亡にとって、通商交渉の中での現実的な可能性はどのようなものであったかを観察することは多大な関心事である。

　最初のアプローチでは、経済と文化の環境は異質であり排他的であるように見えるかもしれない。しかしこの推測は正確ではない。より良い視点を得て進化して行く点を同定するためには、分析の境界は他の通商交渉を

基準点とする必要がある。

　自由貿易協定の多大な汎用性が、同協定を非常に不均質な構成で複雑な分類にしているのは確かであるが、様々な形式での文化保護の持続がそこを貫いてきたことが注目される。

　メキシコの場合で、しかしながら、驚くことではないのは、国際フォーラムの場での従来の国家の行動には、国の文化的表現の保護への考慮の欠如があった。それどころではない。メキシコは常に唯一の関心事は経済であるという正反対の立場を取って来たのである。従って、文化部門は完全なる無防備のまま放置されているため、この協定は、同部門への歓喜の源となるには程遠い状態である。この意味に於いて、取るに足らないメキシコの文化的例外を含めた T-MEC の文化部門に係る条項は、目を見張るような内容である（附属書 15E）。確かなことは、協定の発効は、メキシコ文化のエコシステムに深刻な影響を及ぼすことであろう。

昇階唱

　　　　　　　　　　主よ、絶えざる光で彼らをお照らしください
　世界の随所での優勢で覇権的な植民地主義システムへの対応として、20世紀には自由な民族自決の原則が進展した。最初は国連憲章の中に謳われ（第 1 条 2 項）、そしてその後は 1966 年の経済的・社会的及び文化的権利に関する国際規約という、同原則の最初の文化的表現の中に見られる（1981年 5 月 12 日付*連邦官報*）。

　文化政策に関する世界大会での 1982 年のメキシコ宣言の採択により、80 年代には、文化が極めて重要な位置を得る国家の人類学的主張が弾みを得た。続いて、一つまたは複数の文化が偶発的、混合的、動的で流動的な意味を強めて行くだろう。予想通りの結果は諸文化と主権の概念の融合であった。そこから、全ての文化は同様に貴重であるという前提の下で文化主権の概念が生じた。

　このようにして、メキシコの少数の文化的権力は、社会という範囲（スペクトラム）の中で有力な文化的集合体になった。その集合体は、文化的相互作用と対話が盛んに行われる調和的パラダイムと見做されるべきとも

言えよう。

　これらの新たな考慮の下で、社会的スペクトラムでの支配的参加者は、文化的集団及び共同体の自決及び結果として文化の自決の原則を再確認するための決定能力を持つ媒体として、文化的主権が位置付けられるという了解の下で、文化的主権の推進強化への努力を求められていた。

　文化的アイデンティティ・遺産というこの種の主権を構成する主要な要素の二つは、この分野でのメキシコ国家の有害な決定を相殺する役割を果たした。それに伴い、文化的主権は、社会的安定のための貴重なメカニズムであることを示した。文化の防衛の重要性を伝えるものである。

　メキシコ国家の主権は、領土内の文化的表現の保護と促進にとって適時と判断される政策を保存、採用及び実施する権利である。このことは繰り返し主張する必要があるだろう。

恐るべき御陵威の王

　　　　　　　　救われるべき者を無償で救われる恐るべき御陵威の王よ

　今このデジタル化全盛の時代に、国は、文化的主権の防衛の新たな形式の策定を強いる挑戦に立ち向かっている。この分野でのいかなる分析の原点も、経済の変貌と商業の再定義が必然的にもたらすデジタル経済の到来という言明にあるべきである。

　デジタル経済では、文化デジタルエコシステムの構造化は、オープンコンテンツを保証する独立性と多数の当事者によって、住民の総体に利益を与えることができる安全、中立、民主的、多文化、包括的で透明性あるインターネットの構築を想定する。

　こうした特徴を有するインターネットは、多様性を促進する文化的個人、集団及び共同体にとっての一つの保証になると言ってもいいであろう。彼らの権利を保護することは、刷新と創造の保護を意味すると言ってもいいであろうし、それによって、経済成長と発展を後押しする文化・創出産業の活性化に繋がるとも言えよう。

　しかしながら、メキシコの交渉団は、この領域で新たな文化政策を策定

する能力の保護を選ばずに、インターネットの中立性と普遍性のテーマだけを閉じ込めた。その結果は火を見るよりも明らかである。文化的表現の多様性を調節・促進し、情報の領域内の文化・創造産業の出現にとって必要なメカニズムを振興する国家主権の深刻な弱体化である。

　国民の創造物は、これは繰り返し言及する必要があるが、芸術、情報及び通信のような様々な側面での表現の自由に固有であり、それらの側面は、今やT-MECによって強奪された我々の根本的な自由を構成するものである。

　国家は、外国の文化製品による国民的文化への影響は限定的であろうという考えに傾いた。その分野での政策は、国民としてのアイデンティティの安全保護には十分であろうと推定していたが、そのアイデンティティの特徴についても明確に把握していなかったのである。

　更に言えば、メキシコの高級官僚は、メキシコの文化製品に対する最終的な対策の準備を適切であると思っていなかった。そして、最後には屈服して要塞を明け渡した。T-MECと共に、文化産業の保護を自由市場に引き渡した。

涙の日

　　　　　　　　　　　　　　　　神よ、この者たちをお許しください

　T-MECの内部で論争が巻き起こるという不測の事態を前に、メキシコは、通商パートナーに対して、合法的に報復のメカニズムを利用できるようにする強固な法的根拠について、通商パートナーと合意した。

　言い換えれば、T-MECと相容れないいかなる法的措置も、我が国の制度の中で国際条約は、連邦を含む内法規に優越するという悪条件も重なり、通商報復を正当化しうることである。

　メラニー・ジョリーというカナダの経済開発大臣を務めた政治家は、T-MECの交渉末期にカナダは文化産業を熱心に防御していたが、その姿勢はメキシコの交渉団とは対極をなしていた。メキシコ側は反啓蒙主義に完全に毒されて方向を見失った。それどころか、公共空間への国家の介入を正当化し、文化生活への市民参加を可能にするのは民主的議論であるこ

とへの言及をも巧妙に避けたのである。

T-MEC メキシコ文化へのレクイエム　Ⅱ

奉献唱

彼らの魂を獅子の口からお救いください　彼らが冥府に飲み込まれぬように

　最近、文化は国際関係の中で極めて重要な役割を獲得した。文化自体の重要性を強調するか、一つの位置付けを得るために、もしくは保護すべき資産としてまたは地球規模の戦いの中心的テーマとして文化の再確認用の文脈によって変化する多義の概念というものである。

　原産地主義は、文化はその完全性の保全のために、経済及び商業に係るあらゆる害から防御されるべきであると主張する。しかしながら、今日では、文化製品の産業化は、個人、集団及び共同体に顕著な影響を及ぼして来ている。文化産業は、いかなる他の産業とも同様に、熾烈化する競争という環境の中で展開している。

　最初は北米自由貿易協定（TLCAN/NAFTA）、次は T-MEC の交渉中に、様々な表現での文化的多様性の保護の協定へ取込みのイニシアチブを取ったのはカナダであって、メキシコではなかったことは広く知られている。

　この状況の中で大論争になっているテーマの一つは、カナダの提案である所謂*文化的例外*であったことは明らかである。この項目での条項は、1989 年 1 月の米国とカナダの間で締結された自由貿易協定（英語の略語でCUSFTA）以来根を下ろしており、TLCAN（NAFTA）に取り込まれたが（第 2106 条、第 2107 条及び附属書 2016）、効力は米国とカナダの 2 カ国間に限定された。

　今や T-MEC はこれらの条項を取り込んでいるが、メキシコ国家のためではない。メキシコは先の協定の署名以来、自国の文化の保護に関するいかなる条項をも含める意図を既に放棄していた（第 2106 条）。

　実際のところ、今や総則と考えられる T-MEC の第 32 章は、辛うじて

出版と視聴覚サービスの項目への不安定な保護を設けているが、この部分はカナダの利益にしかならないことを明確にする必要がある（第32.6条）。制限は重要である。それらの文化産業は、T-MEC の条件に合わせる必要があるからである。カナダの分析者は、それらの裁定の最終的実施が、文化産業が晒されている報復を前に、非常に高いコストを意味し得ることを熟知している。自国の文化的表現に関してカナダが用いる防衛は、先住民族（ファーストネーション）の保護だけを扱う章を要求していた。カナダの主張は、T-MEC の中で先住民族に関する特定の項を盛り込むことで報われた（第32条5項）。

対極としてのメキシコの沈黙は示唆に富んでいた。それ以上に深刻だったのは、高級官僚が国内の先住民族に対する何らの約束を示すこともなく、手作りの民間伝承の先住民の作る手工芸品を、実態としては、条約の通商パートナーの善意にすがるに等しい後の交渉に委ねることに終わった（第6条2項）。

国民的文化の保護に関するメキシコの高級官僚の醜態は驚くばかりである。文化的例外の項目で、留保として附属書1に既に差し込んでおいた内容を、T-MEC の第15章に見られる附属書15E として一語一句繰り返した……正に絶賛に値する想像力の現れではないか！

同附属書の最後の部分に包括的な内容の記載を目指すも、結局は内容のないものに終わった以下の回りくどい表現を用いた。メキシコは、*視聴覚サービス部門に関する市場へのアクセス義務での限定的な約束をする*、というものである。

いかなる法学徒でも、留保は例外の一規則であり、従って、狭義の解釈を要求するものであることは知っている。その表現は、未来の世代のための記憶として石に彫り込むに値する。その盛り込みは明々白々である。合意済みの服従をカムフラージュし、いかなる国内の訴訟も抑制することである。

神羊誦

神の子羊よ、彼らに安息をお与えください…

　一貫性のかけらもないまま、メキシコの高級官僚はデジタル製品の広義の定義を選択した。算出、テキスト、音響、画像及び販売又は商品流通用に生産されて、電子的な伝送が可能であるデジタル符号化されたあらゆる製品のプログラムを含むものという定義であった。その結果、国に対して、デジタルコマースの利用と開発に不要なあらゆる障害物を避けることを義務付け、課税猶予期間（モラトリアム）を永続させた（第19条1項、第19条2項及び第19条3項）。

　この文章を注意深く読むと次の結論に至る。分かり切ったことを述べるが、強調は価値の中身についてなされていて、伝達手段についてではないのである。それによって T-MEC は、世界貿易機構（WTO）の叙述を完全に放棄し、いかなるその他の中立なシステムについて討議する可能性も葬った。

　従って、T-MEC はデジタル製品の処方（fórmula）を用いて、デジタル製品の解釈で、方法的に最も近い類似した先例に訴える全ての機能または循環論の回避を目指す資料を作り出した。それによって、国内での米国の商取引の支配を確実にした。

　この処方は、財として及びサービスとしてのデジタル製品の価値のコンテンツ（内容）を概念化する、国際フォーラムで物議を醸している米国の要求への承諾を示すが、我が国の市場での米国デジタル製品のいかなる差別をも禁じる特異な内国民待遇でその要求を保護していた経緯もある（第19条4項）。

　更に厄介なのは、*可能性がある*という動詞の使用は偶然ではない。デジタル製品の取引は必ずしもこの手段によるではないという想定を暗黙に伴う。このことは、国にとっては重大な損害となる技術の中立性の原則の単純明白な採用を反映している。技術の中立とは、デジタルコマースが実現可能であるために、その目的のために用いられるいかなる手段も一様に使えるとして理解される。根本的な相違は、技術の中立性を単純に受容することが、非対称性を除去するために技術を規制する国家の自由を深刻に制限することにある。このように、国は、導入後の結果が予想もつかないのに平然と無視されるような新技術を先に受容するという危険に晒される。

T-MEC は、構造、語彙及び領域に関して異質な条項を持つ電子商取引の唯一のモデルである。この米国の功績は極めて重要である。WTO の二つの根拠——関税と貿易に関する一般協定（英語の略語で GATT）及びサービスの貿易に関する一般協定（GATS）——第一の明確な相違は、財とサービスの二分法及び保護主義の程度に由来する通商の様々な種類に言及する。GATT と GATS の規則の立案後に生まれた電子商取引は、国際フォーラムで多大な討議の呼び水となり、WTO も例外ではなかった。

　GATT が自由市場を限定的に振興する一方、GATS はその無制限な解放を保証するのではなく、発展途上国の非対称または遅れを、デジタル製品については尚更補償するために考案された組織である（Sam Fleuter）。

　先進国が、GATS の規則は、サービスの取引のために用いることができるかもしれない諸技術を区別しないため、既に技術の中立性を遵守していると主張したときに論争は激化した。この断言は、深刻な政治的・法的意味合いによって発展途上国を困難な状況に追い込んだ（R.V. Anuradha）。

　先進国間には二つのモデルがある。一つは欧州連合であり、電子デリバリーを GATS の規則により規制されるサービスの供給として解釈するものであり（サービスの貿易に関する理事会、欧州共同体及び加盟国からのコミュニケーション：電子商取引作業プログラム 6a,S/C/W/183［2000 年 11 月 30 日］）、もう一つの米国モデルは、デジタル製品は物品と見做されるべきであるため、GATT の規則に従うべきという主張である（電子商取引に関する作業プログラム：米国による提案。WT/COMTD/17, WT/GC/16, G/C/2, S/C/7, IP/C/16, 1999 年 2 月 12 日）。この立場は、技術の中立性の執拗な擁護と結びついている。

　デジタル製品の処方には、最低限の国際的合意がないことを明確にするためには、2017 年 9 月から暫定適用されている EU カナダ包括的経済貿易協定（英語の略語で CETA、仏語の略語で AECG）を挙げるだけで十分である。この協定は、電子的伝送またはデジタル製品という名称の使用を避け、デリバリーという名称を選択した。両当事者による GATS の規則の解釈と一貫性のある決定である。

　実際的効果のために、メキシコは米国の立場に屈服したが、それによっ

64

てこの問題についてのいかなる議論も、もはや国にとっては空虚な行為でしかない。メキシコの交渉団は、深い不透明感が漂う中に国の将来を投げ出したのである。

　メキシコは、技術のアクセスに関する不安定な情報構造と多大な困難に起因するシステムの非対称性を持つ。デジタル製品市場でのメキシコが置かれている計り知れない不利な立場に気づくのに、特別に鋭い洞察力を必要とはしない。その結果は、主流文化が今や法的正当性さえも享受しており、我が国の文化的表現はその支配下に置かれ、対立が生じる場合は、現実性に欠けるように響くかもしれないが、貿易紛争解決の制度の中に押し込められるかもしれない。

聖体拝領唱

　　　　　　　　　主よ、彼らを永遠の光でお照らしください…
　2009年2月の日スイス経済連携協定（英語の略語でFTEPA）は、より慎重な様相を呈した。確かにこの高度先進二カ国の経済がデジタル製品という用語を盛り込んではいるが、デジタル符号化され、電子的に伝送された全製品にその用語を限定した（Wallace Cheng y Clara Brandi, Instituto Alemán para el Desarrollo）。

　この制限はT-MECとは対極を成しているが、T-MECの解放の異常さは、新技術の適用の結果が予想外であり、従って、メキシコにとっては不明であっても、その適用で合意していることである。

　T-MECの署名の1年前の2018年1月にブエノスアイレスで開催され、メキシコが出席した閣僚会議の間に、電子商取引に関する世界貿易機関（WTO）の交渉開始のための予備作業を推進する約束がなされた。しかしながら、WTOは通商に関する共通の集団的意見を持った構造を備えているため、相応しいフォーラムであるにも拘らず（Jane Ford）、このイニシアチブはメキシコの高級官僚によって軽視された。

　WTOの中での質問の提起は猛烈な勢いで行われた。デジタルコマースの単独の自由化は、ビジネス、諸政府及び市民の間に不均衡を引き起こす

ばかりか、この自由化が圧倒的な文化的支配を伴う市場集中に至る場合は、更なる懸念材料となる。

　メキシコは、WTOの中でデジタル技術が真に包括的であるかに関する論議があるのに、同技術が生産性を増大させるという意見を頭から信じ込んだ。その想定は更に重大である。技術の中立性の単純明白な受容が、いかなる包括性のパラダイムをも挫折させるからである。

　技術進歩の将来を運、推測や市場の力に委ねる決定は、メキシコの高級官僚の限りない認識の甘さと無鉄砲さを表していた。デジタル市場は、伝統的市場はイノベーション（革新）が原価計算主義より優位に立つが、デジタル市場はそうではない。この明白さは否定できないのである

　それ以外では、T-MECは、土台の複雑な集合体とそこでの相互運用とによって特徴付けられるという状況にあって、デジタルエコシステムの中の管理（governanza）に厳しい制約を課していることを明確にしておく必要がある。このような逆境の中でメキシコ国家は、国民の文化的表現の保護と振興を明確化し、その多様性の確保を余儀なくされるであろう。

　2020年7月1日（水曜日）以降、メキシコ社会は、不透明な将来を甘受し始める一方で、T-MECの永続を望む人々には、歴史の審判が待ち受けている……。

Ⅲ．T-MEC の闇の中の食糧の正体

T-MEC　文化―食事の二項式への反撃　Ⅰ

> *我が祖国よ、地表はトウモロコシで覆われ、*
> *その下には豊かなる金鉱、*
> *そして空には鷲と*
> *輝く緑の羽根の鸚鵡。*
> ラモン・ロペス＝ベラルデ『我が祖国』

　食事は文化であって、単なる生物学的必要性ではない。しかしながら、社会は、生物学的欲求よりも調理を優先した。このように、古来の伝統は、食事に対して規範的な意味を与えて来た。

　人間は食するものによって同定されるが、人間を決定するのは食事―日常の文化的経験―である以上、この断言は金言以上のものを含む。

　一つの共通な文化を持つ社会は、食事に関する同じ習慣を共有するだけでなく、培って来た料理の伝統をしっかりと監視・保護する。緩やかな進展傾向を有する文化的諸価値は、不可欠な選択を決定するという事実に留意すると、諸集団の特異性は、様々な要素の中でその側面での選択によって説明できる。食物は、社会の定住地に根付く全体論的な概念である。従って、料理と食事の実践は、自然及び共同体の環境への反応として作り出され、変貌を遂げる生きた文化に属するものである。

　歴史は、食という要素が人間形成の面に与えてきた多数の意味を随所で立証しており、宗教・社会と交わる側面では、証明が不要であるほどの自明の理である。食糧の生産の近代的プロセスは、文化と食事の繋がりに重

要な突然変異をもたらして来た。最初の側面には、過去の人間の根本的活動は農業であったため、個々人は収穫したものを消費していたという事実がある。このことは、儀式とその意味合いを生み出す繋がりであり、人々に帰属意識も与えていた現れでもあった。

メキシコの歴史の中では、その共生関係は、経済危機の時期には顕著な社会的機能を果たして来た。トウモロコシの栽培によって、小規模な社会単位は飢饉を緩和することができた。しかしながら、科学と技術がその共生関係を撹乱させたことで、新たな側面への動きが生じた。生産は地場ではなくなり、商業的性格を帯びるようになった。同様に、農薬の開発と交雑のような科学の進歩の結果は、文化と食物の間の繋がりを弱体化させ、消費する物に関する社会の識別力を低下させた。

この古来の共生関係を消滅させた第三の側面は、遺伝子工学革命であり、近代社会は、どんなものを食べるかを意に介さないまで物を無視するに至った。遺伝子組み換え技術は、農家への金融支援は廃止しないまでも減額すべきであるという論法に基づいてはいたが、農産業の指数関数的開発を可能にした。この最後の側面は、T-MEC が、農業部門の遅れを相殺するのは農業の効率であるという論拠で、農業の項目（第3条4項及び第3条6項）に盛り込んだ前提の一つである。

米国は、食物を商品と見做すことでこの側面を擁護して、宗教や社会のような異なった性質の文化に関する論拠は、保護主義的な意図をカムフラージュする目的であるという主張を繰り返し行なって来た。

メキシコのウルトラリベラルなエリートは、この前提を軽薄にも無条件で受け入れて、T-MEC の中に綿密に具体化した。そのことは、事実として米国にとっての栄冠であることを示している。

この立場は、メキシコが通商フォーラムの場で維持して来たものであるから、驚くことではない。困惑を招くどころか、国が他の国際フォーラムの場で反対の主張を日々行っていることは周知である。つまり、食物の文化的機能は、社会が栽培の畑から工場へと、一つの生き方から一つのビジネスへと移行した時に激減したのである。このように、農業の多機能性と

その本質的な特徴の重要性は完全に削がれしまった。

　この三番目の側面は、メキシコの高級官僚のイデオロギーを除くと、最低限の国際的コンセンサスを得られるには程遠い。実際のところ、提示された、自由化された技術集約的農業と伝統農業のいずれのモデルも世界的には受容されていない。EU や日本のようないくつかの先進国社会は、伝統的食糧生産を衛生安全保障と関連づける確信を共有している。更に、加工食品への添加物の使用と食品生産の新たな実践には、それらの国々では強い不審の眼差しが注がれている。

　食物の輸入と衛生安全保障は、上記のような社会では多大な懸念を生み出している。そうした状況を目の当たりにして、農村経済の開発行動調整プログラム Liason entre Actions et Développement de L'Économie Rurale のフランス語の略語の Leader + というプログラムが創設され、EU 内で 25 年以上の存在を誇っている。この組織は開発の手段であり政治的宣伝目的ではなく、土地の文化に繋がっている開発に貢献してもらうべく、現地の人々と組織の活力と資金を結集しようというものである。このモデルは、Cork 2.0 として知られる欧州農村開発会議によって推進され、共通農業政策（英語の略語で CAP）の軸の一本を構成する。

　ここで分析したモデルの間の相違は極めて明白である。米国モデルは、重商主義的志向の、社会の頂点から底辺に至るまで垂直に体系化された露骨に排他的な特徴であるのに対し、ヨーロッパ型は革新と社会統合を推進する。この後者のモデルによると、土地の管理は社会と環境との相互作用にとって不可欠であり、その相互作用の中では景観と天然資源の保全、並びに文化遺産の保全は根本的である。

　更には、正にそのスキームの下では、革新と科学的解決策は、天然資源を未来の世代が活用できるようにすることを保証しなければならない。CAP は、農業は単なる生産と商業化だけの活動ではあり得ず、社会的・環境的機能を果たすべきであると主張している。

　メキシコの農民と農村共同体は、トウモロコシを国土に存在する極めて多様な微気候に適応させるために、トウモロコシの交雑を頻繁に行ってお

り、そのことは、メキシコの伝統的知識の誇りであり、本質的な部分を構成する。

世界貿易機関

　世界の農業生産の転換点はウルグアイ・ラウンドとして知られる、1986年から 1994 年に実施された第 8 回多角的通商交渉であり、会期は 2000 年までに及んだ。この交渉の最大の成功は、正しく国際貿易機関（WTO）の設立であり、その野心はとりわけ農業部門の自由化であった。WTO の構造が、米国の意を反映していることに気づくには大した想像力を要しない。

　農業の自由化に於ける最も際どい論点の一つは、農薬、肥育ホルモン剤、遺伝子組換え食品などのメーカーである多国籍製薬会社の利益に沿った、衛生植物検疫措置の適用に関する協定（英語の略語で SPS 協定、1995 年に発効）であった。

　SPS は、健康リスクの評価のための*科学的証拠*のメカニズム導入し、明らかに保護主義的様相を帯びた衛生対策を避けるために、健康リスクを決定するのは社会的認知であるとする基準を削除した。それによって、通商と文化的論拠との間の緊張で通商有利に解決を図り、食糧という要素と衛生安全保障に関係する社会的根拠に根付くものであっても、伝統を示す他のいかなる基準をも無効にした。

　これらの根拠に基づき、WTO で誰もが知る有名な飼育ホルモン剤入りの牛肉を先例として決着させたが、米国、カナダと EU との対立を引き起こし、EU は同牛肉の輸入に対して衛生措置を発動した。SPS に忠実な立場を取る T-MEC は、衛生植物検疫措置だけが*科学的原理*に基づくことができるという一般的前提を採用した（第 9 条 6 項）。

　このモデルは、予想される福祉の前提に関しては明らかな欠陥を示しており、空虚な巧言と化して、様々な古来の伝統とアイデンティティを喪失する結果となった。

　SPS は、自由化の軸を成す協定として T-MEC の本文に盛り込まれた、知的所有権の貿易関連の側面に関する協定（英語の略語で TRIPS）と結びつ

いている。事実、T-MEC の根本的な頂点の一つであり（第 20 章）、秘密裏の承認を連邦工業所有権保護法の異例の配慮によって説明する（2020 年7 月 1 日付連邦官報）。

T-MEC は、メキシコが特に穀物の場合に無条件で既に容認していた農産物の自由な移動に関する WTO の要求を、自国の条項の中に統合している（第 3 条 9 項）。更に、所謂 NAFTA 農業条項（協定）も盛り込んで、今や T-MEC に適合される必要があるが、その条項はメキシコが密室で締結したものであって、その後は政府の高官の机の中に厳重に保管され続けた。この協定は共和国元老院で精査に付されることは決してなかった。

農業関連の T-MEC 第 3 章での唯一の制限は、附属文 3-B の第 10 項に含まれるものであり、メキシコと米国の間でこの項目の通商上の例外を規定している。しかしながら、この附属文と米国カナダ間の締結内容（付属文 3.A 第 3.A.4 錠）を単に照合するだけで、穀物のメキシコ国内市場の保護について、カナダが驚愕する程の不十分さである非対称性が看取される。

エピローグ

リージョナリゼーション（地域化）の現象が機会創出をもたらすのは確かであるとは言え、アノミーをもたらすことも同様である。メキシコは今や複雑極まりない岐路に立っている。生物の多様性に関する条約のバイオセーフティに関するカルタヘナ議定書及び生物の多様性に関する条約の遺伝資源の取得の機会及びその利用から生ずる利益の公正且つ衡平な配分に関する名古屋議定書に関する義務という既に取得した国際的な諸義務を両立させるということであるが、他方、米国、カナダは T-MEC 関係で国内法の整備の必要に言及するまでもないのは、両国ともこれらの議定書を批准していないからである。

問題は、メキシコはカルタヘナ議定書と両立不可能な協定を締結できないことであり、その理由は、同議定書に想定する保護の水準の低減を意味しうるからである。

T-MEC は、メキシコで、社会と政府の行動の間そして法と文化の間で

機能不全を作り出している。何らの民主的正当性に裏付けられることもなく、メキシコの高級官僚は、メキシコの伝統的なプロセスと知識を犠牲にして、国民の食の未来を決定したのである。

T-MEC　文化―食事の二項式への反撃　II

　2010 年、ミチョアカン州の料理（以下 CM：メキシコの伝統料理の中のミチョアカン郷土料理）が、UNESCO の人類の無形文化遺産の代表的リストに登録され、和食、フランスの美食術、ナポリのピッツァイオーロと地中海料理と肩を並べた。CM の主要な材料は、トウモロコシ、豆、唐辛子に加えてトマト、アボカド、ココア、バニラとカボチャである。T-MEC の発効に伴い、主要な頂点の一つであるメキシコ料理の慣行が織り成すメキシコの文化的多様性に関して、今こそこの協定の意味を熟慮する時である。このように、CM はメキシコの文化的多様性を構成する多くの要素の縮図となっている。

　ミチョアカン料理に要約されるメキシコ美食術（ガストロノミー）の価値は、畑とチナンパ（水草を積み重ねて作った浮島に泥を盛り上げて作る湖上の畑）での播種と収穫から、先祖伝来の煮込み料理に至るまでの食物連鎖への集団的参加にある。昼食時の儀式として先住民の集団的交流が行われる。確かに CM はミチョアカン州のパラダイムに集中しているとはいえ、国のその他の多様な地域の郷土料理が UNESCO のリストに記載されている。目的は明白である。メキシコの調理習慣を活性化させる文化モデルを救い出すことに他ならない。

　ミチョアカン州の郷土料理の真価への明確な評価は、煮込みという完成した料理を超えて文化的プロセスの保護を重視する見解に先鞭をつけた。メキシコ料理の持つ多数の表現は、環境、コスモゴニー、祭式及びメソアメリカの文化から根付いている伝統的知識との間の共生関係を含んでいる。更に、祭式と料理慣行と自然との相互作用を通じて宇宙を説明する一つの形式でもある。

　この料理の豊かさは、先住民共同体と、そこに帰属意識を与える料理慣行の歴史的連続性の間に明らかな繋がりを示している。食物の意味を声に出して伝えるのは共同体である。

　メキシコ料理の真正性は、その調理の方法論だけでなく古い起源にも及ぶため、遺産としての文化的価値をメキシコ料理に与えるのである。

　CM は、メキシコの環境と生物的多様性と絡み合う土着の材料を含んでいる。この背景の中で、トウモロコシは、調理習慣の最上位の要素として中心的な位置を占める。こうして、トルティージャやタマル（両方ともトウモロコシの粉で作る食材・料理）の重要性が詳らかになる。これらの食物は、死者の日の祝祭時に設ける祭壇に配置する食物の実質的な部分であり、トウモロコシの収穫サイクルを表している。その伝統は、人類の無形文化遺産にも登録されている。更に、メキシコの古代文明は、トウモロコシを人類の起源と関連付けており（『ポポル・ヴ、キチェ族の会議の書』）、トウモロコシの重要な不可欠性を証明している。

　他に付け加える必要があると思われる特徴には、食糧・栄養安保及び調理の際の女性の主要な役割がある。女性達は、知識と技術によって、同体・地域的独自性の土台を盤石にする。しかしながら、T-MEC が批准されてからは、こうした文化的モデルは、トウモロコシを含む穀物の自由な移動の結果として変質し、悪影響の一つとしての伝統的な知識の喪失は、許しがたい程度に達するであろう。

国連食糧農業機関（FAO）

　1945 年に創設された国連食糧農業機関（FAO）は、全ての人々への食糧の保証を目的とする。当初は、ヨーロッパが第二次世界大戦後の飢餓に苦しめられていた時期であり、組織の創設は相応しい対応であった。生産連鎖は大打撃を受けていたので、早急に行動を起こす必要があった。

　しかしながら、技術、科学及び経済の側面により熱意を傾ける FAO の基本姿勢の中では、文化不在の状態が続いた。組織には二本の要の文書である食品法典と世界農業遺産（英語の略語で GIAHS）と呼ばれるイニシア

チブが設けられた。前者は、食品、その生産と無害性に関して国際的に承認された規格、慣行、指針及びその他の勧告を収集したものであり、この法典はメキシコが加盟しているコーデックス委員会によって管理されている。

　GIAHS は、2002 年に創設された「領土、文化または農業景観もしくは生物物理学的社会的環境との複雑なつながりを持つ共同体を巻き込む絶え間ない進化を遂げる生きたシステム」であり、その後間もなく、先祖伝来の伝統や経験を回避するどころか、食糧安保と生物圏尊重を可能にする新技術への適応を模索する計画が誕生した。しかしながら、GIAHS は、その取組みを農業に集中し、食品の調理と消費のプロセスは対象外として、自然を優先している。そのイニシアチブを的確な背景の中に位置付けて、正確な視点を分析すると、1972 年の UNESCO の世界の文化遺産及び自然遺産の保護に関する条約との繋がりがあることが分かるが、同条約の中では、文化景観は文化と自然を混成するカテゴリーとなっている。それでも、GIAHS は、料理の慣行を擁護して認知度を与えている。チナンパ農法とユカタン半島のマヤのトウモロコシ畑の方法は、この意味で顕著な努力が見られる 2 つの例である。

　これらの事例を巡って、FAO は、文化が重要な価値を持ち始める別のプログラムを実施した。その推進力となる着想は、食糧・栄養及び健康安保を重視して、先住民共同体を農業プロセスに関する意思決定に参加させることである。

　FAO の業務の中で、国連のアジェンダ 2020/30 が示す意欲的な対応の一つである、国内の共同体、とりわけ先住民共同体の、持続可能な開発を目指す実践の中への取込みは不可欠であると推察される。文化的農業システムはそれ自体が目的ではなく、このモデルの視点の中に包摂されている。そのような領域にメキシコの料理伝統の重要性が盛り込まれる。

生物多様性条約（CBD）

　1992 年、リオデジャネイロで、地球サミットとして知られる環境と開発に関する国際連合会議が開催され、生物多様性条約（英語の略語で CBD）

を採択した。北米地域ではメキシコとカナダだけが同条約を批准した。この条約によると、国内法は、適切な伝統的生活様式を含む先住民・現地共同体の知識、革新及び慣行の「尊重」、保護、保全のために適合が必要になる（第8条）。

　この規範に基づき、2006 年にブラジルのクリチバで開催された、批准済みの国の政府が集う第8回締約国会議は、CBD の事務局に対し、伝統的知識、革新及び慣行を記録し、現地の先住民共同体の積極的な参加を得て、当該知識等の所持者が晒されている監視・スパイ行為の分析を求めた。こうした背景の中で、当該共同体の保護を要として盛り込んだプログラムを採択した。

　メキシコの調理習慣、とりわけミチョアカンの郷土料理は、これらの決議によって監視、保護されている。CBD の中では―締約国に生物多様性に関する戦略と行動計画の中に食物を組み入れることを義務付けた―食物、栄養及び生物多様性が相互に関わり合っている。

　2014 年 4 月に、CBD の事務局と UNESCO はフィレンツェで、文化的景観を特に強調する、文化的・生物的多様性の中での関連性を決定するためのプログラムを策定し、2016 年 12 月には、カンクンで対象地域をラテンアメリカに拡大した。GIAHS より広い対象範囲によって、このプログラムは文化遺産の無形要素により大きな重要性を付与した。ここで、メキシコの料理慣行の場合に再度言及することができるのである。

　FAO とは異なり、そのプログラムでは、物理的な文化遺産の一部としての文化―自然の二項式が、より活力のある姿で描かれていて、CBD に新たな意味をもたらし、明確な文化に関する指令を示す。T-MEC の批准に伴い、メキシコの料理に関する知識に対する計略は、T-MEC の規定に背かないようにこれを監視し、偶発的で自主性のない状況に追いやる狙いである。米国は CBD の締結国ではない。メキシコに関しては、T-MECと共に排他的であり、CBD とその議定書の中で取得した義務と矛盾する国際義務を負ったカナダと米国は、CBD の議定書を批准していないのに、である（第31 条 13 項 4 号）。

人　権

　米州機構（OAS）第46回総会で、先住民族の権利に関する米州宣言（DADPI）が漸く採択された。メキシコが熱心な推進役であったこの宣言は、先住民族は固有の文化的独自性と完全性への、歴史的文化遺産を含む有形無形の文化遺産への、並びにその遺産の集団的・個々の継続と未来の世代に引き継ぐための保護、保全及び開発への権利を有すると定めている（第13条）。

　更に、先住民族は、その物質的・非物質的遺産の開発と保護への完全な承認及び尊重への権利を有する（第28条）ことから、メキシコの料理慣行は集団的人権である。このように、食糧と文化の確固たる繋がりには更なる解明は不要であり、生産と栄養基準だけに焦点を絞る生物的必要性としてだけ食糧を捉える一元論的主張を除外する。DADPI は、無形文化財の頂点の一つとしての食糧に、人権の文化的叙述の中での卓越した使命を与える。

　確かに DADPI は、拘束的性格を有しておらず、経済的、社会的及び文化的権利に関する国際規約（1981年5月12日付*連邦官報*）やその所見番号21 のような他の法律文書の解釈を支持する一方、これら二つの文書は拘束力を持ち、全ての人と共同体に伝統的知識に対する権利があると定めている。

エピローグ

　メキシコ国家が既に引き受けている国際的義務に対するメキシコの高級官僚の不履行は、痛ましかった。それどころか国を窮地に陥れたのである。

　*科学的原理*の門下に下った T-MEC は、メキシコ国家が公衆衛生措置を通じて国民の生活と健康を保護する主権を低減させる。米国の法曹の繊細な文体は、*科学的プロセス*という用語の使用を避けたが、この語は実験室の分析だけに限定されず、その他の変数の評価を範囲内に含めている（第9条6号1号）。

　他方、科学的原理は、方法論の選択とデータ操作のように極めて相対的

である。最近の歴史では、先進国も含めて、不正確で不確かな状況で出した結論が時の審判に耐えられなかった科学的スポークスマンの声明と矛盾する先例は枚挙に遑がない。

　メキシコに押し付けられた食のシステムは、メキシコの食糧の組成と農業生産の組織化を変質させることが予想される以上、社会的には極めて深刻である。T-MEC は、メキシコの食糧から歴史的文脈を奪い取る結果となり、伝統的知識、料理慣行、宗教的信条及び国の持つ様々な社会的意味を愚弄する。

　メキシコの高級官僚は、国の生物多様性が豊かさの計り知れない源泉であり、その機能性は様々な文化的エコシステムとの相互作用にあることを決して明確に理解しなかった。

　T-MEC は文明の二つのプロジェクトの衝突を意味する。食べ物を数多くの商品の一つと見做す考えと伝統的知識が複雑に入り組んだ土台から出発する考えの対立である。メキシコにとって、後者は文化的安定と自然と調和のとれた繋がりとを持った構造を意味していた。

　メキシコは、歴史の中で最も重要な文化的戦いの一つで T-MEC に惨敗したことは、国民的な集合的記憶に刻まれることであろう。更に忌わしいのは、先住民族は、カナダという自前の努力が報われた国（第32条5項）のおかげで発言権を得たことである。メキシコの沈黙は忌わしい限りであった。

Ⅳ. テロの暗影

国連安全保障理事会と文化の新たな謎　Ⅰ

　1998年にアフガニスタンで再燃した内戦は、基本的にはタリバンの活動が引き金であったが、主要な狙いは少数のシーア派共同体の絶滅であった。しかし現地の人々、とりわけ女性と子供の苦悩に、文化遺産の破壊も加わった。その時以来、文化遺産の保護が新たな側面に盛り込まれたのは、その遺産が戦闘による劣化にだけでなく、テロ行為への資金供給を目指していた武装組織による略奪にも晒されていたからである。

　そのような異常な事実を目の当たりにして、国連安保理（SC）は、国連憲章（憲章）第7章を根拠にした決議を通じて初めて介入した。この行為は、国際平和・安全保障への脅威に対する安保理の介入を正当化するものであるから、非常に有意義な措置である。しかしながら、安保理の掲げる根拠は少なからぬ謎を呼び起こす。いくつかを挙げてみると、国際機関と当事国の間に権力の再編は存在するのか？文化遺産の保護保全の分野での国際的責任の規範への影響はどのようなものか？

　決議1214号（1998年12月）に於いて、安保理は、アフガニスタンの主権、独立、領土の保全及び国民的団結を再確認し、同国の歴史・文化遺産への敬意を表明しつつ、同時に文化遺産の保護を約束した。しかしながら、この決定は当たり障りのないものであって、何らの実効ある結果を生むものではない。

　安保理の論法は有意義であり、何らかの状況下では、文化遺産への攻撃は国際平和・安全保障に対する脅威と見做されるというものであった。この前提はその後の決議の共通項となった。その決議がテロへの戦いに厳密

に言及しているのは明白となる。このように、2001年のタリバンによるバーミヤン石仏の計画的破壊と、同年9月11日のニューヨークのツインタワーへの攻撃により安保理の関与が強まり、シリアとイラクでの所謂イスラム国との戦闘の勃発と共に頂点に達した。

前　例

　ここ数十年間は、文化遺産の保護に焦点を置く文化関係の協定、条約及び宣言の誕生が際立っている。

　現在の国際法を形作る要素は、平和時も武力紛争時も文化遺産の保護に向けた協力を構築することである。

　更に、そのような協定は、文化的に重要な遺跡の保存義務を与えた。そのためには、国際美術市場での法的枠組みの整備は根本的となる。しかしながら 所謂仕向け国ー文化財が辿り着く場所であるーでの国内法規の不備が甚だしい。更に深刻なのは、根拠が自由市場の完全に自由な制度に対応していることである。上述の協定は、正に、文化財の購入及び譲渡の規則に関するものであり、違反がある場合には、当該文化財の返還または返却の処置を指示する傾向もある。

　戦時については、武力紛争の際の文化財保護に関する条約（ハーグ条約）及び1954年の第一議定書及び1999年の第二議定書が適用される。

　平和時に関する国際法は少なくない。中心になるのは1970年の文化財の不法な輸入、輸出及び所有権移転を禁止し及び防止する手段に関するUNESCOの条約（1970年の条約）であり、1994年の盗取された又は不法に輸出された文化財の返還に関する条約（UNIDROIT条約）は、ヤーヌスの二つの顔である。同じ領域ではあるが、別の観点に立つものとして、文化遺産に係る犯罪に関する2017年の欧州理事会により採択された条約が傑出している。

安保理事会

　アフガニスタンに関する決議1214号以降の安保理の立場は、文化的に

重要な遺跡の意図的な破壊や自らの非合法的活動用の資金捻出の目的での文化財の結果的な不正取引のような、テロ集団の行動を受けて次第に変化していった。明確な違いに気づくことが重要である。こうした非合法的活動の根元は、非国家の主体によってイデオロギー的に育まれていることである。

その後の決議を見ると、安保理の評価の傾向を同定することができる。安保理にとって、テロ集団と文化遺産の間には明らかな繋がりが存在しており、文化財の破壊は、象徴的な動機と非合法活動への資金捻出目的の物理的な動機という相互補完的な二つの動機によるものである。

安保理のこの新たな評価は、憲章の第Ⅶ章（第39条及び第41条）に基づくものであり、特定の状況下にあっては、文化遺産に対する攻撃も、国際平和・安全保障への脅威を意味するという解釈である。この章は、安保理指揮下の多国籍軍（ブルーヘルメット）の派兵も想定している。

イラク戦争時に、安保理は決議1483号（2003年5月22日）を採択し、そこでは文化遺産の保護に関する最初の明確な言及がなされている。安保理は、文化遺産に敬意を払い、破壊行為と略奪の対象とされていたイラクの考古学的、歴史的、文化的及び宗教的遺跡を恒久的に保護する必要性を認めた。

そうした状況を前に、安保理は、国際社会の加盟諸国に対して、バグダッドの国立博物館や国立図書館のような施設から略奪された考古学、歴史または宗教財の返還を主軸に据える措置を講じるよう命じた。安保理事会は、盗難であったと判断する十分な疑いが存在するような文化財の取引または譲渡を禁止する最初の声明を出した。

中東の状況は悪化を辿り、安保理はいくつかの決議の可決を迫られた。決議2199号（2015年2月12日）の中で、イラクとシリアの文化遺産の破壊について次の三つの側面から非難した。一つ目は、所謂イスラム国（英語の略語でISIL）とヌスラ戦線（英語の略語でANF）による偶発的または意図的であったような破壊で、遺産の保護は宗教遺跡で広範に行われた。

二番目の側面は、これらのテロリスト集団がテロ攻撃を組織・遂行でき

るための資金調達と係る考古学遺跡、博物館、記録保管所及びその他の文化遺跡の略奪と密輸に由来する不正取引との繋がりを示す。

　三番目の側面では、安保理は、国際社会に対して、傑出した考古学、歴史、科学及び宗教財の不正取引を阻止するための適切な措置を講じる命令を繰り返し行った。そのために、イラクからは 1990 年 8 月 6 日以降、そしてシリアからは 2011 年 3 月 15 日以降に持ち去られたような財について不正輸出がなされた期間と認定した。今や、不正輸出日の確かさに関する証拠は、法的効果にとって根本的となるであろう。最後に安保理は、UNESCO と Interpol に対して、この命令の達成のための協力を再び要請した。

　しかしながら、安保理による協定事項にも拘らず、不正取引は続いた。このため、テロ集団への資金供給を断つための努力に絞った決議 2253 号（2015 年 12 月）と、文化遺産の不正破壊—宗教、教育及び科学遺跡の破壊をも含む—そして特にテロ集団による考古学遺跡、博物館、図書館、記録保管所の略奪と破壊—結果としての財の密輸—に関する決議 2347 号（2017年 3 月）を可決した。

　決議 2347 号は、文化遺産の保護の原型を明白に描くものである。文化財の破壊を、武力紛争時の文化財の不正取引に支えられるテロ活動と最初に関連付けた決議である。

　安保理は、文化財の破壊と不正取引は、世界平和と安全保障に対する真の脅威であるという声明を繰り返した。そのために、国連の分析支援・制裁モニタリングチームは、国際美術市場を巡るこれまでの状況の最も完全な診断の一つを作成した。この報告書によって、安保理は、とりわけ文化財の不正取引の受益者が犯罪組織またはテロリスト集団であるときは、対不正取引の法的及び作戦面での措置を講じることが可能になった。この診断の詳細に亘る分析は次章取り上げる。

　安保理は、また、極めて重要な原則の宣言を可決した。特別な状況下で、そして国際法に則り、信仰、教育、芸術、科学及び慈善に捧げられた遺跡や建物への攻撃は、戦争犯罪になり得ること、並びに、犯罪遂行者は法の裁きを受けるべきであると決定した。

作戦面については、安保理は、戦闘対象として二つの活動に集中した。文化遺産の意図的破壊及び文化財の不正取引であるが、それらは、国際テロへの戦いが集中する犯罪行為とテロ攻撃を組織し実行するための資金獲得を支える活動との間の共益関係である。

　国連安保理、イスラム国とヌスラ戦線は、イラクとシリアの考古学遺跡、博物館、図書館、記録保管所やその他の場所から持ち出された置物から成る遺産の窃取に直接的または間接的に関与しているという確認に基づいている。そうした犯罪行為は、国際平和・安全保障を乱すという事実を強調する。

　国連安保理は、国際社会に対して、武力紛争の中で発生した可能性がある不正取引を防止し、戦うための適切な措置を講じ、文化財の調査、禁輸、没収への協力と返還に努めるように強く要請した。

　更に、事前に示したように、国連安保理は、文化遺産を侵害する者を有罪とするための決定を計画し、この目的のために諸国民（国際社会）だけではなく諸政府に対しても合意を呼びかけた。安保理は、文化遺産の保護への人類の一般的な関心を評価するに加え、文化遺産に対する犯罪人の刑事免責を防止するための国際社会の義務を強調した。

疑問点

　安保理の決議により採用された新たな国際的枠組みに則り、文化遺産の破壊の責任者を起訴する義務が、現地の法廷に限定されるべきか否か、またその義務性が国際社会の加盟国にも及ぶべきであるか否かに関しては、専門的資料の中で徹底的に議論されて来た。そのことは、文化財の不正取引は犯罪であるとの認識を再構築することを意味する。

　諸政府に対するこの緊急の規範の合理性は、安保理が憲章第7章に依拠することを考慮すると、人類の一般的関心の優勢は文化遺産の保護をその基本原理の一つとして持つことを意味する。この新たな規範は、一般的な国際法に盛り込まれ、諸政府に対して、文化遺産に対する犯罪人の刑事免責に対する戦いでの国際的協力義務を課す。当該資料の別の箇所は、この決議2347条が憲章第7章に明示的に根拠を置かなかったことを疑問視し

ているが、安保理の実践に留意すれば論理的には非常に弱い論拠である。実際のところ、安保理は、決議の可決のための最小限の合意を得るためにこの章への言及を避ける場合が多々ある。

　しかしながら、使用されている表現は、第7章に根拠を置いていた可能性があった場合であっても、この決議には拘束力がないことを窺わせる可能性を否定できない。安保理の行動は、別の合法性に依拠しているという解釈が成り立ちうるからである。そのことは、国際法への新たな規範の創出を必ずしも指しているのではない点で意味があり、この決議は武力紛争時に限定されるか否かを付け加えることも必要かもしれない。

　もう一つの決定的なテーマは、決議2347号がテロリスト集団の犯罪行為に限定されるか否か、または武力紛争時も平時も文化財の意図的な破壊、保留及び不正取引にも及ぶか否かについてである。安保理は、テロ活動への国際社会の反応の中核を成しているように見えるかもしれないが、理事会の説明の中では犯罪組織に関する反応にも言及しているため、はるかに広範な視点を提起している。

　待ち受ける挑戦は、文化遺産の保護でのこうした卓越した決議が、総体としての国々によって受け入れられる国際慣習法の証拠を成していることを証明することである。安保理の単なる同意または総会及びUNESCOのような他の機関による宣言の中にその同意を含めても、新たな国際規範の創設に至らないからである。

　しかしながら、こうした考察に際しては、上述の決議2253号と決議2347号を俯瞰する必要がある。決議2347号は、犯罪組織を含めてその適用範囲を顕著に広げ、特定の地理的地域に限定していない。その可決には、文化財の意図的破壊と結果的な不正取引の防止策の可決で満場一致を得るために桁外れの裏工作が必要であった。その貢献は計り知れないのは、今後、文化遺産に対する脅威は、国際平和・安全保障を攪乱するものとして分類されることである。更に、人権の範囲と多角的協力の推進とに重点を置くことで、同決議は基本的な重要性を帯びる。

国連安全保障理事会と文化の新たな謎　Ⅱ

　トルコ様式の家並みの景観で知られ、ネレトヴァ川河畔に位置する、ボスニア・ヘルツェゴヴィナのモスタルは、15世紀から16世紀にかけて築かれた歴史都市で、オスマン帝国との国境と看做されていた。モスタルという名称は、スタリ・モスト（古い橋）に由来しているが、その橋は文化遺産の破壊が絶えなかった1990年代のバルカン戦争時に破壊された。軍事的必要性が正当化されなかったことは証明されてはいるが、この種の損失は計り知れないものであった。

　それに加えて、クロアチアの都市ヴコヴァルが被った深刻な被害があり、そこではセルビア軍が、18世紀のエルツ・マナー城と博物館、ローマ様式の町スプリト、スタラ・グランディシュカ要塞、ヤセノヴァツ文化複合体などの中世の遺跡を破壊している。1991年12月、ドゥヴロブニクの旧市街に激しい攻撃が加えられ、その破壊ぶりは、人類の文化遺産に対する攻撃を端的に示すものであった。

　意図は明白であった。敵のアイデンティティを示す全ての痕跡を消滅させ、故郷（ルーツ）の持つ意味について、未来の世代を路頭に迷わすことであった。

　その戦争の惨禍を目の当たりにして、国連の安全保障理事会（安保理、CS）は、犯罪の遂行者を裁く目的で、旧ユーゴスラビア国際戦犯法廷（英語の略語でICTY）を設立した（1993年5月の決議827号）。規定の中には、宗教的実践、事前活動、教育、芸術、科学の専門機関並びに歴史的建造物及び美術・科学作品に対する損害または破壊活動と戦う必要性を明記している（第3条d）。規定は故意に文化財という用語の使用を避けたが、そこから、国際的法律文書に於ける文化財に関する統一した定義の欠如が露呈した。

　当時の国際法学では人道中心の傾向が主流であったが、底辺には、対人犯罪が文化財に対する犯罪を圧倒していた状況があった。CPIYの規約と

決議は、戦時の文化遺産保護と判断し、その破壊は共同体に永続的に壊滅的な影響をもたらすと結論づけることで、重大な分岐点となった。CPIY は、破壊行為は、国際慣習法に従い、犯罪を構成するものであり、人類に対する犯罪の要素でもあることは疑いない。

　ドゥヴロブニクの判例、とりわけ、Prosecutor v. Tadic, no. IT-94-1-A 及び Prosecutor v. Blaskic IT-95.14 の意見の申し出では、証拠の一つであった。

　2012 年 6 月及び 7 月には、マリ共和国のトンブクトゥの群を抜く美しさで知られるイスラムの墓が冒涜された。被害を受けた建造物の中にはいくつかの霊廟とシディ・ヤヤのモスクの門扉がある。墓の破壊は真昼間に遂行され、当該地の重要性は単に宗教的・歴史的であるに過ぎなく、軍事目標ではない時間帯での出来事であった。不安はマリ全土に広がった。これらの蛮行を指揮したのは、イスラム・マグレブ諸国のアルカイダ（AQIM）と関連する組織のアンサール・ディーンのメンバーであるアルマフディであった。

　2015 年 9 月、国際刑事裁判所（ICC）は逮捕令状を発行し、ナイジェリア当局は執行した。アルマフディはネーデルラントで投獄された。裁判が 2016 年 8 月に開かれ、アルマフディは、歴史的・宗教的建造物の破壊から成る戦争犯罪を自白した。2017 年 8 月、ICC の第八法廷で有罪判決が言い渡された（The Prosecutor v. Ahmad Al Faqi Al Mahdi ICC-01/12-01/15）。

　決議 2100 号（2013 年 4 月）及び決議 2233 号（2015 年 7 月）に基づいて、安保理は、国連マリ多元統合安定化ミッション（英語の略語で MINUSMA）の設立を命じた。その後の決議—2016 年 6 月の 2295 号—では、安保理は、国連憲章（憲章）第 7 章に則り、MINUSMA がマリの文化遺産の保護とその目的を遂行する当局への支援に関与すべく、より積極的な命令を発した。多国籍組織が安保理の後援を受けてこれらの任務に参加する最初の事例であった。

　最後に、UNESCO の指揮の下で、15 世紀の文化的伝統が織り込まれたマリの象徴的な建造物の一つであるシディ・ヤヤのモスクが、2016 年 9 月に修復された。

UNESCO

安保理から UNESCO への文化遺産保護に関する要請は UNESCO に主要な影響を与え、国際基準に留意しながら、新たなより効率的な措置を講じる約束と共に、度重なる声明の中で安保理の呼びかけに応じて来た。

UNESCO は、文化的多様性の保護と多元主義の促進—有形無形文化遺産及び人権と基本的自由の保護を通じて—は、文化的緊急性だけに留まらず、平和と持続的な開発を確保するための要と成る紛争時及び移行期間（過渡期）に人道的・安全保障的な要請でもあると判断した。

文化へのアクセスと本質的表現への参加は、無形遺産によってもたらされるものであり、復活力のプロセスと危機を克服するための持続的努力に資する。

このように、安保理の相次ぐ決議と上述の破壊状況の後に、UNESCO 総会（GC UNESCO）は文化財の意図的破壊に関する宣言を採択した（2003 年 10 月）。この宣言は拘束力に欠けるとは言え、文化財の全体または部分的破壊を引き起こすあらゆる行為を意図的破壊と見做すので、概念的な豊かさが際立っている。

国際法に従って、これらの行為は、処罰されていない場合でも、人道の原則と人々の意識の根幹に対する正当化できない違反または襲撃と見做すべきである。

この宣言は、平和時及び武力紛争時に諸政府が遵守すべき経済的・立法的・行政的・教育的・技術的措置にも言及している。更に、個人及び諸政府の刑事責任に関する措置を指摘しており、個人や諸政府には、人類にとって貴重な遺産の意図的破壊に対するだけでなく、UNESCO または他の機関の世界遺産に損害が及ぶと及ばないとに拘らず、国際法の定めるところに従って、前述の意味でのいかなる意図的破壊行為をも禁止、防止、阻止、または処罰のために適時な措置の採択に関する不作為についても責任を帰することができる。

決議 2199 号への明らかな対応として、GC UNESCO は、2015 年 11 月に、決議 48 号（武力紛争時の文化保護及び文化多元主義の分野での UNESCO の

行動を強化する戦略）を採択し、それを通じて、軍事衝突の際の文化多元性の保護を約束した。この戦略の附属書Ⅱの最後の部分に含まれる命令を遵守すべく、2016 年 2 月、UNESCO は、バグダッドで提示された #Unite4Heritage プログラムの一環として、2015 年 6 月にボンで結成された「遺産同盟のための世界的団結」の中で、UNESCO の要請を受けた文化遺産保護カラビニエリ部隊（イタリア語の略語で TPC）の介入を可能にするために、イタリアと了解覚書を締結した。

　UNESCO は、この行動計画を活性化する決定を下し、加盟諸国に対して 2 回の調査の検討を求めた。各々の論議から反応が出てきたが、メキシコの不在は際立っていた。最終的に、行動計画の更新は、2017 年 3 月に UNESCO 執行委員会によって可決された。

国　連

　安保理の決議 2347 号は、文化遺産の保護に於ける変曲点の一つであり、国際社会の諸国及び当然ながら UNESCO の一般的政策に極めて重要な結果をもたらした。しかしながら、その文章は、人類に対する犯罪に明確に言及すると断言するには腰が引けていると言わざるを得ない。

　2017 年 11 月、国連事務総長は、この決議の適用状況に関する報告を安保理で行った。国連事務局が指摘しているように、加盟国政府は美術市場に関する国内法と手続きに係る規則を調整するための時間が必要であることに加えて、その反響を評価するのは時期尚早である。

　決議 2347 号には、安保理に送付された 2016 年 3 月 4 日付分析支援・制裁モニタリング・チームに関する報告書を付け加える必要がある。この文書は、当該テーマについて最も正確な診断の一つであり、決議 2199 号（2015 年）等を尊重して作成された。

　結論は極めて明白である。美術品収集家、美術商、オークション会社及びオンラインプラットフォームは、テロ組織による文化財の商業化を阻止するための最後の砦であるが、略奪された文化財の由来国を証明しようとする偽文書の精度が急速に高度化しているために悪化の一途を辿る問題である。

しかしながら、決議 2347 号は、叙述の中でテロ集団だけでなく犯罪組織も含めており、特定の地域に限定しないことから、適用範囲を拡大している。こうしたことへの言及だけでも、安保理が文化遺産の保護を取り上げる点で非常に重要な意味を持つ。そして、犯罪集団の活動がテロ活動と同じ共通項を持つことが指摘できる。近い将来、この側面は、文化財保護に関する最も重要な考察の一つになることは疑う余地がない。その結果も想像するに難くないのである。

国連安全保障理事会と美術市場

　2015 年 5 月、米国は、シリアのデリゾールで、自称イラクとレバントのイスラム国（英語の略語で ISIL）の主要リーダーの一人であるアブ・サヤフの身柄拘束のための隠密軍事作戦を展開した。サヤフは、考古学的発掘調査の許認可の交付の権限を有する唯一の行政組織である ISIL 天然資源省骨董品課長職にあった。

　米軍はサヤフから、ISIL の金融取引に関する機密情報を含む数本の USB と、このテロ組織の全構造、更に、同組織が支配下に置く領土の経済的利益の獲得方法を暴露する機密文書を押収した。

　押収品の中には、数多くの骨董品、宝石、古代ギリシャ・ローマ時代の硬貨が含まれており、全てを写真撮影して然るべく文書化された。押収品は、国際闇市場に送るために既に梱包されていた。

　サヤフの部下達は地域の業者を脅迫し、所有する骨董品の価値の 20％を米ドル払いで要求していた。業者が応じない場合は、ただ同然の補償金で押収していた。押収された情報に基づき、2016 年 12 月、米国司法省はコロンビア特別区裁判所で、美術市場に持ち込まれた紛争地帯由来の美術品の押収行動を開始した（訴訟 1：16-cv-02442）。米国の制度では押収は、裁判官だけが命令を下すことができる。

　同裁判所は、更に、没収が警告されている美術品に関して、連邦捜査局（FBI）の盗難アートデータベースのインターネットポータルの事前閲覧を

するよう古物商に要求した。

　ギリシアでは、警察の下部組織である骨董品不正取引対策課は、同不正取引と犯罪組織の急増の間には明白な相関関係が存在すると考えている。同課の見解には反論の余地がない。犯罪組織の骨董品の略奪への関与は、密輸という現象の最も重大な結果である。

　犯罪集合体の戦略は、真正品に偽品を混在させることである。エーゲ海の諸島由来のキクラデス文明に属し、美術市場で非常に高い評価を受けている彫像の場合がそうである（Konstantinos-Orfeas Sotiriou）。

　その帰結は明白である。犯罪集団とテロ集団が所有する文化財には情報的共通項がある。更に、真正品と偽品の混在という事実もある。国連薬物犯罪事務所（英語の略語でUNODC）の犯罪に関する電子リソース及び法律の共有（Sharing Electronic Resources and Laws on Crime、略語でSherlock）という名称のデータベースの閲覧は、この問題の規模に関する世界的な目線を持つための第一歩である。

安保理事会

　ISIL及び他の犯罪集団の活動の激しい拡大を前に、国連の安全保障理事会は無関心ではなかった。決議1267号（1999年10月）、1989号（2011年6月）及び2253号（2015年12月）の中で、分析支援・制裁監視チーム（英語の略語でASSMT）に対して、上述の不正取引を中心とするテロ集団の資金源の診断の実施を指示した。2015年4月25日、2016年3月3日及び同年4月4日付声明にはこの見解について詳細に論じている。

　安保理は、文化遺産の保護は、国際的安全保障と平和維持の構成要素の一つであると判断したことで、人類の一般的利益に相当することを明確化した。このように、決議2347号（2017年3月）の中で明らかになり、その中に安保理は特定の地理領域の抽象化を行なった上で、犯罪組織を含めた。

　ASSMTは、美術商、美術協会及び国際美術市場のその他の当時者による行為の分析に着手し、巨大な独自の重要性を持つ古銭の取引の部分を含

めた。最初の結論では、合法的市場と非合法的市場の間には境界線を超える相互浸透性があるとする、専門的文献が既に指摘していた診断を共有する。

　上記から、国際美術市場が多因子の挑戦を受けているという結論が引き出される。その挑戦の一つは、膨大な数の骨董品と貨幣の非合法的市場への組織的な導入である。その防止には、この領域の全当事者が参加者となるような断固たる措置を講じる必要がある。しかしながら、この市場は当事者が安保理の決議を遵守し、実効あるものとするための最小限の監視メカニズムすら欠いているのが現状である。

自由市場

　顧客確認（KYC）の方針と手続きは、他の市場では見られているが、美術市場では不在である。更に悪いのは制裁措置を無視することである。また、テロ集団または犯罪組織が得る収益が本当に重要であるという見解に対しては、同市場では懐疑的な認識が主流であった。しかしながら、ASSMT が取得した衛星情報は、この認識とは異なる内容を伝えている。また、米軍が押収した文書には、骨董品の販売に対する ISIL の期待感が証明されている。

　当初の結論は断定的である。国際美術市場の現在の構造が存続する限り、不正取引を相殺する目的のいかなる措置、テロ対策でさえも頓挫するだろう。その上、販売の現場で検出された利鞘は、略奪者にとっては取るに足らないという意味でコンセンサスがある。所謂仲介業者（英語の専門用語では middleman）から始まる犯罪の連鎖で利益は最大になる。その後、文化財原産国の古物密輸業者の期待を満足させるために、略奪は大量に行われる必要がある。

　ASSMT の勧告は一つに明白なあり方を出発点にしている。不正取引が儲からないようにすることである。そのためには、考古学的遺跡の管理と制裁措置の強化が不可欠である。

　第二段階では、美術品の輸送を困難にすることが必要になるかもしれな

い。そのためには、輸送をリスクのある任務とさせる措置が必要である。この段階はより高度で複雑な側面を意味するのは言を俟たない。実のところ、世界税関機構（英語の略語でWCO）の用語を統一した品目表の中に、一連の製品述語・分類を既に備えている。しかしながら、この品目表には骨董品の収集家については二ヶ所しか言及がない。古銭に関する部分（97項05号）及び骨董品の規定に必要な基準に関する部分──当該品が骨董品と看做されるには製作後100年を超えていること（97項06号）、である。

　流通している文化財とりわけ考古学財の膨大な種類に鑑みると、その品目表が全ての規格を包含していないことが明らかになる。年代と特質の間の違いのような特異点の場合がそうである。この述語に修正を施すことで、WCOが現地の当局に対して法律を修正するよう働きかけることが可能になるかもしれない。

　仕向け国の国内美術市場での歪みの発生を防止し、税官吏が品物をより詳細に同定し、税関の申告時に虚偽を見破り、文化財の歴史を正確に調査するための研修を行うために、この措置の適用は早急で多重である必要があるかもしれない。しかしながら、最も肝心なことは、古物密輸業者にとってのリスクを拡大させ、取引の管理費が嵩むようにさせることである。

　これまでのところ、税関吏の多くは、こうした職務を全うするための最も初歩的な知識を欠いている状況である。確かに必要な研修には管理上のコストが発生するとは言え、不正取引の抑制には、骨董品の流入用の特定の港を設置する必要があるだろう。それにより、指定地以外からの導入は制裁と当該品の押収の対象なりうるので、取引のリスクを古物密輸業者に集中させることも可能であろう。

　データベースの作成は必須になる。フランス、リヨンのInterpol、イタリアの文化遺産保護カラビニエリ部隊のような組織が既に行なっている。また、原産国のレッドリスト及びWCOのポータルArcheoを備えているので、市場の当事者が関連情報を閲覧することが可能になるだけでなく、必要とされる精査（デューデリジェンス）の特有の仕組みが実現可能にな

る。

　データベースは包括的であるべきであり、競売の場合などには商人に販売者の身元を加える義務を課すべきである。それによって、調査が必要になった時に流れを促進し、迅速化することに繋がりうるからである。UNIDROIT の文化条約は、アントニオ・グテーレス国連事務総長が絶賛を表明しており、この意味での必要な仕組みを備えているものである。確かに、最近の不正発掘由来品はこの情報基盤には記載されていない。そのため、そこに含まれていないことが合法性証明の前段階にさせないために、同データベースの法的効果を定める法的整備が必要である。

　自由地帯または自由港は税関の管理が及ばないため、文化財の闇市場にとって絶好の場所になっている。同地の倉庫には不正由来品が積み上げられており、長期間の保管によって古物密輸業者は将来の販売機会を狙うことができる。そのお陰で、犯罪者らは、不正移動の事件が引き起こすマスコミの懸念が終息するまで余裕を持って待機をすることができる。その証拠として、古代ギリシア・ラテンの文化財の不正取引を巡って、正にジュネーブ州の自由地帯で活動を展開していた、2004 年に有罪判決を受けたジャコモ・メディチが率いるスイスの犯罪集団の事例がある。

　不正取引連鎖の最後の環は、国内美術市場に足を運ぶ仲介者である。この状況の中で、未解決となっている主要なテーマの一つは、文化遺産の由来に関するものである。この点について、美術市場は従前の所有を証明する文書を提示するだけで十分とする実態があり、そのことは数多くの歪みを引き起こしてきた。その一つには、この文書が満たすべき最低の要件を決める国際法の不在が、偽文書の作成にとって格好な情勢となっていることがある。

　最後の助言としては、市場で疑わしい販売者または由来の文化財の存在を知らせるために、仲介者の間でのコミュニケーションの仕組みを作り出すことである。

　ASSMT の報告書は、安保理を、文化遺産の保護の分野で新たなパラダイムを創出する決議 2347 号の採択へ向かわせた。安保理は、AMMST の

これらの勧告を融合して、国際社会に対する義務の一覧表として表明する。

フィナーレ

　安保理の決議の尊重を達成するための国際的努力には目覚ましいものがあった。その一つは、2017 年 11 月に安保理に送付されたアントニオ・グテーレス国連事務総長の報告書である。この報告書は、「文化財の密輸業者を調査・起訴する」ための事務所の設置に関する、2015 年 10 月のメキシコの声明を説明している。

　自由市場を声高く称賛した国々のいくつかは、米国（H.R. 1493　2016 年の国際文化財保護法）、ドイツ（2016 年 7 月の文化遺産保護法）のような文化遺産の保護を目的とする立法を既に公布した。

　文化遺産保護に於けるこの新たなパラダイムは、多数の議論を生む契機になるであろう。

V. 保護と返還への執念

オークション会社と先コロンブス期文化財

　1744年ロンドンで創業されたサザビーズは、最大手の国際的なオークション会社の一つとして名高い。2019年6月、フランスとイスラエルの市民権を持つ収集家であるパトリック・ドライが30億ドルで同社を買収した。ドライの利益に関する報道は、いかなる想像も及ばないものであった。2018年の所得の総額は10億ドルに達し、利益は1億3千万ドルであった。

　別の在ロンドンの大手オークション会社であるクリスティーズは、1766年にジェームズ・クリスティーによって創業された。2世紀半後の1998年5月、フランス第9番目の富豪であるフランソワ＝アンリ・ピノーが社長を務めるアルテミス社が親会社となった。買収金額は現在まで公表されていない。

　二社の事業沿革は順風満帆であったのではない。遺憾極まりない出来事の一つは、両社の通称であったクリストビーズ（Christoby's）の複占が、ロンドンのオークション市場で取得した商品価値の10％の割増金を落札者に課す決定をしたときのことである。この措置に驚愕したロンドンアートギャラリー協会（英語の略語でSLAD）及び英国アンティークディーラー協会（BADA）は、クリストビーズの複占に対して訴訟を起こした（John Fiske）。

　サザビーズは同じ措置を繰り返す決定をしたが、今度は米国で、1993年1月以降、最初の5万ドルの購入については取得者から10％の手数料を、同金額を上回る購入については15％の手数料を徴収することにした。

その１ヶ月後クリスティーズが同じ措置に訴えた。動機は明白であった。所謂クリストビーズの複占は、卸売商の購入者から利益の一部を差し引く意向であった。

A. アルフレッド・トーブマンは、1993年に既にサザビーズを買収していたが、不動産部門に強い関心を抱いていた米国の投資家であった。サザビーズのマーケティング・スキームでの購入時のプレミアムを課すだけの方針を超えて、オークションハウスから卸売商を排除しようとした。この論理に従うと、一般購入者は小売商が多数を占めるべきであるという考え方が出て来るが、その方法論はクリスティーズによって踏襲された。

マーケティング手法の専門家であったトーブマンは、小売商は専門的知識がないので、容易に操ることができるだろうと踏んでいた。オークションの場を劇的に表現することで、より劇的な場面がより良い価格を引き出すというしきたりによって、かかる人心の操縦を可能にした。そして、1980年代の競売商品の相場は大きく躍進した。高価格を維持するために、価格の押し上げや、より良い機会のために商品のロットを撤去することができる偽落札者を利用していた。

腐敗の最初の兆候は1985年に表出した。クリスティーズ、ニューヨークの取締役の一人であったデヴィッド・バサースト卿は、フランス人画家エドガー・ドガの二点の絵の偽装落札をしたことで、オークション開催の許認可を取り消された。アンジェロ・アポンテ消費者関連事務局長により、ニューヨーク市での営業停止を迫られたため、止むを得ず合意に応じた。それでもクリストビーズの複占は、市場で透明性の欠如の中で継続した。その証拠の一つは、オークションの現場への参加者は、出品されているロットのどれが落札されたのかわからないという状況であった。それどころか、二社は購入時のプレミアムを20％に増大した。

ニューヨーク消費者労働者保護局（英語の略語でDCWP）は、公益が深刻に脅かされており、両社は法的限界で営業していたという主張で、二社に対してこうした行為を改めるよう厳命した。トーブマンは、サザビーズのオーナーとして、価格吊り上げ操作を享受し続けたいがために、劇場風

のオークション運営の変更に抵抗した。

　90年代の危機は、クリストビーズの複占に、マーケティング戦略の変更を余儀なくさせて、独占極まりない行為である、ブローカーのコミッションを一本化することで、シャーマン法として知られる厳格な反トラスト法への違反も厭わなかった。

　クリストビーノ複占は、マンハッタン南部地区検事長によって起訴され、有罪判決を受けた（Case Charlotee Krusman et al. vs. Christie's International PLc, Christie's Inc., Sotheby's Inc. et al., 284 F. 3d 384）。共犯であり、美術オークション市場での当時のアイコンであったダイアナ D.・ブルックスは、サー・アンソニー＝ジョン・テナント共に、各々はサザビーズとクリスティーズの取締役であるが、多額の罰金の支払いを余儀なくされ、他方トーブマンには実刑判決が下された。

　しかしながら、争いはこれで幕引きとならなかった。複数の集団訴訟が始まり、ルイス A.・カプラン、マンハッタン南部地区連邦判事の前で心境を吐露した。裁判の結果、クリスティーズとサザビーズは、其々、2億5,600万ドルの支払いを承諾した（Donald R. Simon）。その上、2004年に、サザビーズは、恒例の先コロンブス期文化財の年2回の販売を突如中止した。

　欧州委員会さえも、独占的行為に対して取り調べを開始した。それに対し、クリストビーズの複占は、審問での絶対的協力をして自ら有罪を主張し、問題の行為を是正するための必要な措置を講じることで、寛大な措置を願い出た（Brussels, Co. 2002. 4283）。それにより、罰金額の大幅な減額に成功した。

　この状況の中でメキシコの先スペイン期の文化財が取引されているのである。本評論は、我が国の文化遺産の略奪の当然の仕向地である米国市場に関する若干の結論を纏めるための情報を、通時的に分析する目的を有する。

先コロンブス期美術市場
　メキシコの考古学財の不正取引は容赦無く続いている。それに関して、

ニューヨークのオークションに関する分析は、示唆的な情報源である。現地でのオークションは極めて敏感であり、当該財の自然な受け皿であることは明らかである。

　20世紀の90年代から21世紀の10年代にかけて、ニューヨークの取引所で傑出するメキシコの先コロンブス期の物件は、数量順と地理的地域および文化の基準に従って、メキシコ西部（コリマ、ハリスコ及びナやヤリの各州にある3〜4メートルの深さの穴に作られた墓から出土したアジア人風の顔の像）文化、ベラクルス文化及びマヤ地域文化、オルメカ文明、メスカラ文化及びトラティルコ文化、チュピクアロ遺跡、テオティワカン文化及びミステカ文化である。出土品は、サザビーズだけを対象にすると、1万4千本を超える数量に達する。同社のHPを信用するならば、先スペイン期の文化財の市場を牽引しており、この部門の年間売上げは4,500万ドル近くに達している。

　金額別に見ると、石の仮面、陶器作品、彫刻作品、香炉が示す特有の様式によって、テオティワカン出土品が突出している。その価値を正しく評価するためには、サザビーズで2007年にこれらの仮面の一つは68万4千ドル、2011年には53万500ドルで其々販売されたことに留意する必要がある（Marc N. Levine and Lucha Martínez de Luna）。

　メキシコの考古学遺跡の略奪規模を決定するのは極めて困難である。一例はテオティワカンであるが、連邦政府の管理がしっかりしている場所でありながら、遺跡の周辺で見つかった先コロンブス期の物件が、ニューヨークのオークション会社で販売されるに至る状況が読み取れないこともない。

　保護地区の外に拡大する都市化と国立人類学歴史研究所（INAH）との対立が繰り返し発生する中、当該地の住民は、土地の文化財の価値の低減となりうるという懸念を抱き、それは重要な遺産の喪失を意味するものであった。

　テオティワカン美術品の市場への供給は、今世紀の最初の10年間に激減があったものの、それは必ずしも略奪が低下したからとは言えない。むしろ、テオティワカン出土文化財の供給が半減したのは確かであるが、20

世紀の80年代以降価格は倍増したと分析は示している。選択的供給によって販売コストの低減もあった。（Marc N. Levine and Lucha Martínez de Luna）。

　ニューヨークの取引所で最も価値のある物品の中で、テオティワカン出土品と並んで、オルメカ文明出土品並びにラスボカス、トラティルコ、トラパコヤ及びチュピクアロ文化形成期に属するものが傑出している。

市　況

　オークション市場での価格の変動は明確に同定することができる。20世紀60年代以降上昇は持続的であり、90年代に頂点に達した。21世紀の最初の10年間には顕著な下落を見た。この現象に関する最も的確な説明によると、その原因は、クリストビーズの複占が直面した諸問題と商業戦略の練り直しであった。

　オークションのこれら最大手二社に市場の再編成を余儀なくした根底の理由は、商品の単価を上げて販売数を減らすという目的であった。在ニューヨークの古物商であるジェローム M.・アイゼンバーグはサザビーズを拒絶したが、その理由は、同社が2004年以降5千ドルを超えるロットまたは物件だけを取り扱うという方針であり、新たなマーケティング上の動機を示すものであった。

　サザビーズは、市場での販売減少を、商品の由来を示す文書と同社の倫理規定の固守の結果であると説明した。しかしながら、市場の進展は避けられず、このオークション会社によって付けられた先コロンブス期美術品は、21世紀の最初の10年間に最高価格を記録した。

　新たな市場戦略の存在を前にして、即時に反応が生じた。例えば、オークション会社のボナムズは勢力を回復し、2003年から2009年にかけて、先コロンブス期文化財を対象にして26回以上のオークションを開催した。他方、先スペイン期の文化財の回復を一層声高く叫ぶ原産国からの圧力によって、オークションでの販売は内輪だけで部外秘での実施が避けられなくなった可能性がある。そして、これが該当するデータへのアクセスができない理由であろう（Marc N. Levine and Lucha Martínez de Luna）。

　オークション会社を動揺させてきたテーマの一つは、文化財のインターネットによる商業化である。eBayのHPの場合では、購入希望者とコンタクトをした後に、主として国際的な個人的販売で完結する仕組みである。

　専門的文献によると、eBayのようなインターネットサイトでは、略奪、密輸と文化財の市場への不正導入を想定する場合に比べれば、リスクはより少ないと考えられるが、先スペイン期の物品の偽造者が溢れているが可能性があるという意味で、美術品のオークションでは共有されている懐疑論がある。

エピローグ

　先コロンブス期文化財の市場に関するあらゆる分析にとっての障害の一つは、オークション会社製の商品カタログの体裁に顕著な変化が見られることである。一例を挙げよう。南東部は、ペテン地区として示される地域の開始する所であり、グアテマラの一部、メキシコの南東部とベリーズを含んでいて、後に低地（lowlands）と呼ばれるようになった。

　この再設定は、議論の余地のない法的で商業的な動機に基づくものである。それによって、競売にかけられた財の合法性に関する探求を逸脱させる。商業戦略は、環境の絶えざる変化に合わせる必要があることが明らかとなる。市場の需要は、市場の規制だけでなく経済・文化要因によっても説明することができる（Neil Brodie）。

　それに加え、このテーマに関する全ての分析は、オークションが開催される環境に言及するまでもなく、オークションでの販売の好みと一定期間内の動向の変化のようなヘドニック解析分析法を考慮する必要がある。

　とは言え、本稿での分析では若干の結論を纏めることができる。ニューヨーク市場の進化過程に留意すれば、メキシコと米国により締約された協力条約とUNESCO70規範—文化財の不法な輸入、輸出及び所有権譲渡の禁止及び防止の手段に関する条約によって定められた—は、既存の商業慣行に影響を与えたとは思えない。

更に悪いことに、1983年1月に米国上院で可決した1970年のUNESCO の条約の実施法（文化財実施法に関する条約：英語の略語でCPIA）も、先コ ロンブス期文化財の売買に大きな影響を与えていなかったと思われる （Neil Brodie）。

　上記のことは、市場の新たな規制の効果に関する懐疑的姿勢へと導く可 能性を想定できるかもしれないが、実際はそうではない。国連安全保障理 事会の決議及び米国連邦議会により課された中東の紛争地域由来の文化財 に対する制限事項のインパクトを分析すると、市場でのそれらの財の供給 が停止したことが分かる…少なくともこれまではという限定付きであるが （Patty Gerstenblith）。

文化財の不正取引　UNIDROIT の戦い

　2019年9月18日、パリのドルーオホテルで、オークション会社ミリョ ンは、メキシコ原産の先コロンブス期文化財のオークションを開催した。 この出来事は、文化財の様々な略奪に対して国家が行った返還要求を巡る 疑問点を噴出させることになり、メキシコ社会に多大な懸念を引き起こし た。これらの質問には返事があって当然であり、そのためには、この災難 と戦うために行われてきた国際的な努力について説明をする必要がある。

　メキシコでは、この種の美術品、とりわけ考古学的遺物の略奪は、長年 に亘って行われてきており、その種のオークションについて言えば、今に 始まった現象ではない。国際環境の中で生じたこの問題の告発は、専門文 献で詳しく実証されている。先例を数え上げたらきりがない程である。

　1969年、ニューヨークの雑誌 Art Journal で発表された「先コロンブス 期の骨董品の不正取引」と題する論文で、著者の米国の歴史家で考古学者 でもあるクレメンシー・コギンスは、大量の文化財の略奪と不正輸出—そ の中には3トンを超える石碑があった—から成るマヤ文明に対するその時 代の10年間になされた略奪を告発し、その仕向け地までも暴露した。窃 盗は、植民地時代に横行した略奪に匹敵する規模に達した。それどころ

か、専門家は、その深刻さについて、あたかも古代ローマのティトゥスの凱旋門が略奪を受けたかのようであると述べる程であった。その略奪にメキシコ当局の共謀があったのは否めない。

　1980年から2000年の間に、一人のニューヨーク市民が、2500点を上回る数の先コロンブス期の骨董品を入手した。同人の死亡後、相続人は2016年、収集家の匿名性を確保するという明確な指示の下で当該骨董品を競売にかける目的で、2016年スイスのオークション会社ビノシュエジクエロと契約した。

　競売は2016年3月に同じくパリのドルーオホテルで開催された。メキシコの先コロンブス期美術の専門家である学芸員のジャック・ブラジは、競売にかけられたロットは、オルメカ文明（紀元前1200年〜600年）の最も美しい個人コレクションの一つであると論評した。
　ロットの商品の多くは擬人化された頭部であり、素材の彫り込みには縄と研磨材を用いていたことから、美術市場では非常に高い評価を受けている。オルメカ人の彫刻家は金属を使わなかったので、作品の制作には多くの時間を要したという背景がある。
　垂涎の的となった別の作品は、ゲレーロ州のオルガネラーソチパラとクエトラフチトランの考古学遺跡出土の、メスカラ文化（紀元前700年〜紀元前100年）を代表する裸の小像である。これらの地帯は、当初19世紀末に、米国の鉱物学者であったウイリアム・ニーヴンによって探索され、出土品の大半はハーバード大学のピーボディ考古学・民俗学博物館に送付された。それらの場所に、先スペイン期美術の取引業者による荒廃の先例となったことが重くのしかかる。
　メキシコに残っている物件の数点については、「革命の女性大佐」として知られるアメリア・ロブレス＝アビラの名前を冠したソチパラ共同体博物館で鑑賞することができる。
　2016年の競売で最も価値のある物件は、「先コロンブス期のモナ・リザ」としても知られる所謂「尻の美しいウェヌス」であり、テラコッタに

赤と白の釉を塗布したもので、高さ約27cm、メキシコ高原に形成されていたチュピクアラ文化（紀元前400年〜100年）に属する。

　その重要性の全体像を捉えると、パリのケ・ブランリ美術館のエンブレムの役割を果たしているウェヌスの「双子」と見做されていることが挙げられる。この物件は、今ではルーブル美術館の所蔵品であり、旧パビリオンデセッションに展示されている。先スペイン期の美術品の世界屈指の所有者の一人であるフランス系カナダ人ギ・ジュスメによる寄贈品である。

　「先コロンブス期のモナ・リザ」より大きい「双子」のもう片方は、2013年にパリのサザビーズにて250万ユーロで落札された。それ以前はフランス人のジョセフ・ムラーのコレクションであったが、相続した娘のモニク・バルビエ＝ムラーと娘婿のジャン＝ポール・バルビエ＝ムラーはヨーロッパで最も重要な芸術的遺産の一つを築いた。先スペイン期美術品は、中でもバルビエ＝ムラー夫妻のお気に入りの品の一つであった。このコレクションは、当初は夫妻の姓のついたジュネーブの美術館に収蔵されていた。その後バルセロナに移され、1997年から2012年まで、ナダル宮殿内のやはり夫妻の姓のついた施設に収蔵された。

　貸与契約が終了を迎え、バルセロナ市当局は、当該コレクションの販売のための申し出金額である2千万ユーロの支払いを拒否した。2012年9月、同コレクションはパリのサザビーズに移され、2013年3月同金額で競売にかけられた。最近の最も秀逸な先コロンブス期美術品の販売であった。

　2017年9月にパリで開催されたメキシコの先スペイン期美術品の競売も際立っている。その財産は、ウルグアイ人の古生物学者で外交官でもあったアルバロ・ギジョット＝ムニョスが蓄積し、後に娘婿のジェラルド・ベルジョノーが引き継いだ。コレクションは、当初メキシコ人画家のルフィノ・タマヨが収集に成功したものの一部を成している。

　これらの前例は、他の多くの前例と共に、メキシコの先コロンブス期文化財が、美術市場でいかに高い評価を得ているか、そしてどのように様々な時代にメキシコから持ち出されたかを証明するものである。かかる状況を阻止するためのメキシコの努力は、様々な国際フォーラムでの恒常化す

る不正取引との戦いに集中してきた。

UNESCO

　文化財の不法な輸出、輸入及び所有権譲渡の禁止及び防止に関する条約（1970年のUNESCO条約）のUNESCOでの採決に導いたのは、正しくメキシコとペルーのイニシアチブであった。その条約は、紛れもなく不正取引への戦いの要である。

　メキシコの努力は、フランシスコ・クエバス＝カンシノ同国大使がUNESCOの外交会議の議長に任命されたことで、国際社会の承認を勝ち得た。挑戦は、一貫して、文化財の原産国への返還の実現が僅かでしかない状況で、1970年のUNESCO条約に法的有効性を与えることであった。漸く2015年5月になって、メキシコの主導の下で同条約の運用指令が採択された。しかしながら、メキシコも参加しているこの指令には深刻な制約があるのは、文化財の返還要請を解決するに当たり、政府間だけを対象とし、外交ルートを優先することに原因がある。孤立した一つの措置だけが、文化財を剥奪された国家と購入した一個人である購入者の間の紛争を解決するための仕組みを初歩的に決定するに過ぎない（第7条b項ii）。

　この措置は、文化財の盗取に関する仮説及び不法輸出に関する仮説を展開している。そこでは、善意の購入者に適正な補償金を支払うとして、当該財の返還を想定する。とは言え、同措置は、私法の領域で国内法との深刻な齟齬を生じるために、非現実的にならざるを得ない。

　何度も言っておく必要があるだろう。不正取引は個人間の問題であり、国家間に生じるのではないのである。その即時の結果は、剥奪された国家の回復要請は、外国の裁判権の中で手続きをして、そこでは外国の法律の適用と当該法の違反の証明を余儀なくされることである。この障害には別の非常に明白な障害が加わる。議会の権限は国境を超えることができないことである。

UNIDROIT の達成事項

ローマに本部を置く私法国際統一協会（フランス語の略語で UNIDROIT）の目的は、私法の分野で国際社会に法律を提供することである。組織としての特性は妥当であった。そのため、UNESCO は UNIDROIT に対して、文化財の仕向地の住人である購入者と文化遺産を略奪された国との間の相反する利害を解決できるような提案の作成を要請した。

UNIDROIT の理事会は 1986 年に活動を開始し、その時以来メキシコのリーダーシップは健在である。困難な作業を経て漸く 1995 年 6 月に、盗取または不法に輸出された文化財に関する UNIDROIT 条約（1995 年の条約）が採択された。賛同国はメキシコの功績を評価して、ローマ本部の外交会議の副議長国という栄誉を与えた。

組織内の立場は二分されていた。一方には、自由市場の経済的・文化的長所は、全ての国が人類の文化遺産にアクセスできることであり、極端な乱用の場合に限って制限を設けるべきであろうとする主張があった。

美術作品の国境を越えた流通は、諸国民の文化の間での対話に資するものがあるため、美術品の自由な交換は文化的視点からは有益であるとする見解もある。同様に、文化交流は諸国民の間の理解及び平和の達成にとっても推進役となることが明らかになった。

こうした見解が、美術品の商業化が盛んであり、資本が潤沢に存在することで、美術品への投資への誘引がある国民によって展開されている点に留意することは必要であろう。

対立軸を構成していたのは文化財の原産国であり、当該文化財は現地に留まることに加えて、当該国の領域内から輸出された物件の返還または回復をも要求していた。それらの国は、古代文明の極めて多様な遺跡に恵まれており、一般的に物理的資源の乏しさを影の部分に持つ文化的豊かさが特徴的である。

現代は文化財の不正取引の空前の増大を目の当たりにしている。この犯罪行為の理由は多数に及ぶ。国境の透過性、文化財の仕向地の国々の新規の市場と購入者の出現及びインターネットのような通信・情報技術などである。同様に、市場への資本流入と結びついた文化財の価格の大幅な上昇

が観察される。実際のところ、非合法的な金が合法的な金を金額で上回っているが、それは、不正取引者とテロリストの間のつながりに大いに起因するからである。

それに加えて、合法的な金と不正取引の間にある透過性は、非合法的な金の合法化には格好の場となっており、取引を世界的規模で深刻に歪めている。不正取引とテロという犯罪行為の混在状態は火を見るよりも明らかである。更に、国連と安保理、UNESCO 及び不正取引対策に係るその他の機関が作成する多数の文書が存在する中、勧告を尊重する国は少数であることは判明した。重要性の低いものも含む文化財の輸出の全面禁止という原産国の政策に抵抗があることが明白になる。

バランスは憂慮すべき状況である。利用可能な人材と資金及び国家の現行の法規制は、これらの挑戦に立ち向かうには不十分である。然るに、この悲観論は、60 年代以降、人類の文化遺産を保護する必要性を巡り世界的な意識が徐々に拡大してきたことで沈静化してきている。UNESCO では、こうした懸念を取り上げた極めて重要な条約が採択されてきた。

提 案

UNESCO の命令を遵守すべく、UNIDROIT では一つは盗取文化財を対象とし、もう一つは不法に輸出されたものに関するという二方向で、文化財保護を有効にさせる条約の展開にとって好都合であると判断した。

前者である 1995 年の条約は、国家は、原産国の要請があれば、全ての盗取文化財を確保・返還するために必要な措置を講じる義務があることを定める。メキシコの提唱によって、この規定は、メキシコの文化遺産の核となっている考古学物件に拡大された。1970 年の UNESCO 条約と調和して、購入者に補償の恩恵を付与するが、同規定は大幅に制限されている。購入者に購入予定である文化財が物議を醸している物件であるかを知るための全関連情報を参照することを要求する。このプロセスはデューデリジェンスとして知られている。

美術品の盗取は今に始まったことではない。組織社会と同じほど古くから存在している。時代を問わず出現するこの現象は、とりわけ騒乱の時期

や武力紛争が契機になってより激しさを増す。遙か昔から戦時国際法は、戦利品を勝者の正当な褒賞と見做していた。

この事象に関する先例は枚挙に遑がない。先スペイン期文化の盗取、エジプトの墓の冒涜、ナポレオン戦争中の美術品の略奪、植民地時代の強制貸し付け、第二次世界大戦中のナチ軍人のヘルマン・ゲーリングによる美術品の略奪、ファン・ゴッホやラファエル・サンティの絵画の劇的な盗取のように組織犯罪の手による盗取などである。これらの重大な盗取に加えて無数の小さな盗難がある。イタリアでは、毎年、現地の教会、博物館・美術館及び個人宅から4万点近い文化財が消失している。

このように不正な方法で取得された物件は美術市場で取引されるが、剥奪された所有者─メキシコの場合のように─と第三者の購入者の間に争いが生じるのに時間を要さない。1995年の条約を除くと、国際社会では、とりわけ、剥奪された所有者を保護するコモン・ローのシステムと、第三者の購入者の擁護を主唱するメキシコのような成文法の国の間では、解決方法での相違が存在する。

同条約はこの相違の克服に成功した。当然ながらかなり物議を醸している善意に関する議論を放棄して、デューデリジェンスの議論を導入したことで、2017年11月の報告に見るアントニオ・グテーレス国連事務総長の絶賛を得た。

もう一つの側面は、不法に輸出された文化財に関するものである。何らかの形で各国は自国の領土内で輸入への管理を実施している。しかしながら、文化財の仕向け国とそこの国民にとっての巨大な障害は、原産国の法規に関する知識がないことである。それに加えて、一つの国内法によって実施された措置は、領土の制限により無効であり、不法に輸出された文化財の返還を不可能にするという事実がある。仕向け国が、強制力のある外国法─目下メキシコの場合がその一例である─とその違反に関する法の適用を容認するのは容易ではない。

1995年の条約は、原産国は文化的富に極めて恵まれてはいるが、輸出制限を尊重させるための手段には事欠く状況であるという一つの確認から出発した。そのために、略奪行為は文化的特異性へのテロであることを明

確化することであった。原産国と仕向け国という 2 カ国の異なった法律の接触を避けるので、解決は斯くも独創的であった。その目的の下で、いくつかの想定で制限された、限定的な国際的な強制力を有する秩序を創出したが、国際社会中の承諾を得られるという見通しに立ってのことであった。そこの側面でも、デューデリジェンスの仕組みが働いていた。

エピローグ

1995 年の条約は単純な制度を見込んでいるため、当然ながら、盗取文化財の返還と不法に輸出された文化財の回復を可能にする。メキシコの提案と、多くの場合、UNIDROIT 内の作業のやはりメキシコによる主導は、不正取引の相殺上極めて意義のある、開始から評価された国際的文書を充実させた。

この条約は、1970 年の UNESCO 条約と共に、不正取引への戦いの頂点を構成する。その成功は、メキシコを除く全ラテンアメリカ諸国の批准によって証明されているが、メキシコの域内孤立の状態が浮き彫りになる。

それらの提案に加えて、国家と未発見の文化遺産との繋がりの規制のような、メキシコによる別の提案が続いてきた。今後更に多くの提案が続くであろう。メキシコが、文化の分野で国際的なリーダーシップを再び回復することが望まれている。

文化財の不正取引 美術市場の構築

メキシコの文化財略奪の代名詞的事例の一つは、プラセレスのマヤのファサード（正面装飾）である。この正面は、カンペチェ州のカラクムルの南東 56km に位置する同じ名称の考古学遺跡の神殿のものであった。プラセレスを 20 世紀の 30 年代に最初に訪れた人物は、マヤ研究家のシルヴェイナス・モーリーであった。

カンペチェで活動していたメキシコの文化遺産の略奪者達は、化粧漆喰を塗った、国王に固有のペナチョ（羽根の被り物）を身に付けていた若い

君主の顔の飾りのついた見事な小壁を発見した。しかしながら、専門文献には、トウモロコシの神を意味するこの像に与える別の見解がある。君主の崩御などの際に執り行われていた重要な記念碑を破壊する儀式で、ファサードは大切に埋葬されていたようである（David Freidel）。

略奪者達は、購入に関心を寄せて、盗取のための資金提供をしたニューヨークの美術商のエヴェレット・ラッシガーに発見の話をした。当初、ラッシガーは、先コロンブス期美術品への趣味と、闇市場の相場の倍の金額を弾むことで名の知れていたジョシュア・サエンスに物件を提供した。

サエンスは購入に関心を示したものの、ラッシガーは競売にかける方が価格面では良いだろうと判断した。その目的で、プラセレスのファサードは切断され、石膏ボードで保護された後、輸送のためにカンペチェに秘密の滑走路が整備された。小壁はユカタン州のメリダに運ばれてから、ニューオリンズへ、その後ニューヨークへと運ばれた（Donna Yates）。

マヤの秀逸なファサードのニューヨーク市への到着は、同市の近代美術館（Met）での、コルテス以前の中米の彫刻品と題した大展示会（会期：1970年9月～1971年1月）の準備期間と一致した。ラッシガーはこの催し物への資金供給を試みて、同美術館の館長であったトーマス＝ピアソール・フィールド＝ホヴィングに物件を提供した。それを受けて館長は、同所の運営担当の副館長と協議した。ファサードに目視検査をした後、ホヴィングは購入を拒否した。

それだけではない。Met館長はニューヨークで、当時メキシコの国立人類学歴史研究所（INAH）の所長であったイグナシオ・ベルナルと会合を持った。ベルナルは物件を見て小壁を同定した。状況の性質から不可避であった秘密を守るために、ホーヴィングは、ラッシガーの名前を記した紙をベルナルの背広のポケットに忍ばせた。

ベルナルは、考古学物件の取引業者には断固とした態度で臨んでいた。マヤのファサードを返還するか、メキシコのモレロス州のクエルナバカにラッシガーが所有していた家の没収に応じるかの選択を迫った。ラッシガーは前者を選択し、ファサードはメキシコに返還された。今ではメキシコ市の国立人類学歴史博物館のマヤ展示室に展示されている。

　この種の略奪は、不正取引が引き起こす過剰なまでの被害の実態を浮き彫りにする。その一つは、記念碑の持つ情報の取り返しのつかない喪失に加えて、記念碑自体の理解を阻む図象学的要素の喪失である。参考までに、このファサードの起源は 2015 年まで確定できなかった事実がある。

　米国のマヤ文明研究者のデイビッド・フライデルは、ファサードの略奪中に撮影された写真の焼き増しを取り戻すことができた。画像は記念碑の荘厳さを示している。この写真がなければ、記念碑の周囲の再構築は不可能であったし、ファサードが記念碑の 2 番目の王の仮面を含んでいたことを確定することもできなかったであろう。正に、その情報によって、記念碑の歴史的・宇宙進化論的意味を理解することができたのである（Donna Yates）。

来歴の概念

　上述の事例への言及は、美術市場が動いている規則を同時に熟考しなければ不毛となるだろう。ごく最近になって、国連は、安全保障理事会（SC）、UNESCO 及び専門文献を通じて、美術市場の有効性を詳細に分析するようになった。これらの専門的決議なしには、国際条約も国内法も全く役に立たないであろう。

　美術市場の構造は、文化遺産の所有権及び譲渡に関する倫理的・科学的・法的・経済的並びに人文主義的視点が交錯するプリズムである。骨董品の取引は、その種の物件、とりわけ考古学物件が査定・取引される制度的・社会的ないくつもの複雑な仕組みの集合体である。

　この背景では、交換という中立的空間としての市場の概念は、売買の商業的資料に意味を与える来歴の文書が特別に重要である社会的・文化的行為を含む概念によって取って代わられる。この環は、骨董品市場を考古学遺跡に結びつけるものである（Fiona Greenland）。

　来歴という用語は論争を起こす意味を持っている。美術品が創造者によって制作されてからの歴史に言及し、そのことが、美術品に真正性と合法性を与える。これらの二つの概念は、美術市場の機能にとっても、各文化財の特有の側面を厳密に体系化するためにも不可欠である。

考古学的物件に関しては、重要性はその創造者にというよりは、むしろ考古学遺跡から撤去されて以降の年表に置かれていることが指摘できる。そこから、来歴を示す文書二つの異なった意味が与えられた。一つは物件が発掘された場所を明確化することができるその略歴に言及し、もう一つは、発見された日から始まる物件に関する不当な所有権に関してである（Patty Gerstenblith）。

　考古学物件の真偽の怪しい来歴は、美術市場と博物館の所蔵品にとって適切となる合法性の推定を当該物件に対して付与する目的を持つ。更に、物件の輸送、輸入及び商業化を促進する。この最後の側面について、米国の美術商であるフレデリック・シュルツの事例は説得力がある。シュルツと英国人の共犯のジョナサン・トークリー＝パリーは、エジプト人の仲介業者のアリ・ファラージから古代エジプト第18王朝の最も強大なファラオであったアメンホテプ3世の頭部を購入した。購入を合法的に見せかけるために、英国人のトーマス・オルコックの架空の所蔵品に属するとされる20世紀の最初の20年間を網羅するカタログを偽造した。

　シュルツは、米国でこの分野では最も有名な裁定の一つとして、第2巡回控訴裁判所により実刑判決を受けアメンホテプ3世の頭部は確かに本物であったが、偽文書が添付されていた。

　ここ最近の10年間では、司法命令に基づき、米国政府は、輸入文書の改竄で有罪となった企業のHobby Lobby Corporationから3,450枚のくさび形の平板を押収した。物件は、トルコとイスラエル由来である陶器であるかのように米国に持ち込まれ、その結果、税額の査定は残存価額でなされた。しかしながら、これらの考古学財はイラクが原産であり、その価値は300万ドルを上回るものであった（US. V. Aprox. 450 Cuneiform Tablets et al. CV17-3980. EDNY 2016）。

　偽文書の横行を示すこの種の先例は数多くあることから、購入者は、取得に際して事前の調査をするなどより一層の注意を向ける必要がある。

1970 年の UNESCO 条約

1970 年、UNESCO で、文化財の不法な輸出、輸入及び所有権譲渡の禁止及び防止のために講じるべき措置に関する条約が採択された。これらの規定の中で際立つのは、UNESCO 標準 1970 として知られる輸出証明書を添付する要求である。

しかしながら、1970 年という年は、UNESCO 標準 1970 に関して矛盾する解釈を含む極めて多様な解釈があることに留意すると、由来書の評価のための確実さを語るには程遠い状況を示している。その複雑さを思い描くためには、米国の美術館長協会が管理する考古学物件及び骨董品の新規取得品登録によって開発された基準に依拠する必要がある。この協会は、アメリカ博物館同盟と共に、標準 1970 に関して実際の適用は 2008 年以降のことではあるが、同標準を採択した世界的に最も重要な機関の一つである。

この分野での米国の指導者の一人であるパッティ・ゲルステンブリスは、研究の中で、上記の登録に含まれる 1068 点の物件の由来書の中で、50％が 2008 年以前の古さを持つことを証明する証拠がなかったと結論付けた。ゲルステンブリスは、これまでのところ、由来の確かさに関する疑惑が払拭されていないと語り、それにより、由来書の証明の標準に方法論的問題が存在するという結論に達した。

2017 年、Met は、古代エジプトの高位聖職者であったネジェマンフのものとされる金色の棺を 400 万ドル近くの金額で購入した。売り手はフランスの美術商のクリストファー・カニキであり、ちょうど展示会のためにニューヨークに滞在していた。カニキは Met に 1971 年と記入されたエジプトの偽輸出証明書を渡した。しかしながら物件は 2011 年にエジプトから盗取された。

ローマ皇帝ハドリアヌスと愛人がこよなく愛した有名な美少年のアンティノウス—マルグリット・ユルスナールの歴史小説であるハドリアヌス帝の回想の中の主役の若者—の頭部の由来も同様に立証した。頭部は 2010 年 Met によって取得されたが、由来書の実証可能な期日は 1984 年

止まりである。

　もう一つの示唆に富んだ先例は、2005 年にトーマス P・キャンベルに敬意を表すべくメアリー・ジャハリス及びマイケル・ジャハリスによって寄贈された金を塗布した銀製のキュリックス（コップの一種）で、2001 年となっている由来書が添付された物件に関係する（Patty Gerstenblith）。

　これらのコップは、山羊の胴体、蛇または龍の尾とライオンの頭を持つ神話上の生き物のキマイラの退治に着手する天馬に乗った英雄のベレロポーンをモチーフにしている。物件は紀元前 8 世紀の古代ギリシャ美術に属するものであり、その価値は計り知れない程である。

エピローグ

　国連の安全保障理事会で採択された決議（1999 年 10 月の第 1267 号、2011 年 6 月の第 1989 号及び 2015 年 12 月の 2253 号）及び分析支援・制裁監視チームは、文化財の不正取引が自称イスラム国及び犯罪諸集団に与えている資金調達での重要性を明示している。

　基本的な問題は、現状が、美術市場に確信を与える由来書に関する国際的文章を作成するのに適しているか否かを決定することである。そこに集中する変数は数多く、異なった法制度を背景としているため、この種の課題はかなり複雑なものとなるであろう。しかしながら、テロ集団及び犯罪組織が多額の資金源を得ている美術の闇市場の増大は、国際社会にこの努力の遂行を要求している。

　重要な点の一つは、由来書の多数が美術市場でかなり後になってから出現することであり、出回る由来書の不確かさ、危うさが現実の姿である。

　この種の法律文書を作成する時点で表明される立場は排他的である。一方で、所謂普遍的博物館のイデオロギー（2004 年の普遍的博物館の重要性と価値に関する宣言で確認が可能である）は、これらの博物館の機能として諸文明の理解を強調し、同文明に尊厳と尊重を与えるという立場がある。他方、暴力的な所有とその所有権の不当な付与の結果である単なる生気のない物品—植民地時代の所蔵品に属する—を展示会に感じ取るいくつかの原産国の立場がある。しかしながら、収集家と博物館が、文化財の取得の歴

史的・法的状況に従って、原産国への返還に応じるならば、両方の立場の
和解の兆候は存在するのである。

Unidroit の文化条約
盗取または不法に輸出された文化財の回復　Ⅰ

　文化財の不法な輸出、輸入及び所有権譲渡の禁止及び防止に関する条約
（ユネスコ条約）が極めて緊急に採択された少し後に、世界中で批准のため
の困難な長い道のりが始まった。多くの国々の法律から容易に賛同が得ら
れない、長い航海にも似たプロセスであったので、批准のためには、憲法
をも含む法改正を推進する必要がある。仮に国際社会の全ての国が批准を
したとしても、文化財の不正取引は解決しないであろうことは、UNESCO
にとっては明白であった。

　UNESCO 条約の中に取り込まれた、メキシコの発案による提案の一つ
が、深刻な問いかけをもたらしていたことが程なく見えてきた。つまり、
盗取または不法に輸出された文化財の返還に関する問題と、善良な第三者
の購入者への相関的補償に関して、である（第7条 b 項 ii）。この条項は、
多くの欠陥を抱えながらも、高度に複雑な問題を解決するための萌芽を含
んでいた。

　それに加えて、同条約が国家間だけに効力を持ち、不正取引が、自由な
市場での文化財の売買の目的で一般人の間で行われるとき、外交ルートが
優先するという事実がある。しかしながら、このルートには深刻な制約が
ある。明白なことを述べるに止めるが、原産国はこの種の物品の輸出を目
的としているのではないし、また仕向け国についても、国家としてその物
品の輸入に専念している訳でもないのである。

　UNESCO 内での議論の噴出に時間はかからなかった。修正案へのいか
なる提言も、控えめに言っても、国際社会に動揺を招き、条約の批准を断
念させる要素になっていただろう。コンセンサスを得た提案は、本来は文
化財の原産国であるがその文化財を奪われた所有者を、非所有者から購入

した（盗取または不法に輸出された文化財を購入した）場合も含めた善意の第三者の購入者と対質させる論争の解決に満足行く仕組みの提供に資するような文章を作成するために、これらのテーマに関して幅広い経験を有する政府間組織に支援を要請することであった。

的確な組織は、本質的な専門性と、完全な非政治性からして、ローマに本部を置く私法統一国際協会（Unidroit）であった。状況はメキシコの文化外交にとっては極めて有利であった。伝統的に同協会への重要な参加をしてきて、その時に 1970 年の UNESCO 条約を補完する新規の条約の構築を評価・推進した。

Unidroit は 1984 年に UNESCO の命令を受理し、直ちに新規の法律文書の策定に着手した。主要な問題の一つは、法学者の対立的で排他的な意見だけでなく、異なった法的伝統と法制度をも両立させることであった。そのためには、比較法及び国際公法・私法の独自の仕組みに関する深い知識が必要であった。

テーマは劇的に増加して行った。UNESCO の条約が命じているように、文化財を剥奪された国家は、要求対象の財が存在していた第三国で手続きをし、仕向け国の法律に従って返還を要求しなければならなかった。更に悪いことには、文化財の原産国の法律は、文化財、とりわけ考古学財の所有権に関しては十分に明確で説得力のあるものではない現状がある。

更に挙げれば、原産国の法律と仕向け国の法律の間には常に相反が存在していた。原産国は、領土の外で裁判権での自国の法執行命令に効力を持たせたいと願う一方、仕向け国の拒絶は予想するまでもなく明らかであった。立法権は国境を越えることができない以上、当該状況が意味する明白さは直ちに広く伝わった。

筋立てはそこで終わらなかった。*非所有者から購入した場合も含めた善意の第三者の購入者の概念は、際限のない議論を噴出させて、和解の接点*は事実上存在していなかった。

Unidroit は、当初、1988 年、1989 年、1990 年に研究班の会合を 3 回開催したが、そこで研究班は作成した文書の *Urtext*（原本）について議論し

た。その後、1991 年、1992 年、1993 年に政府関係者の専門家による会合
を 3 回開催した。

　1995 年 6 月 7 日から 24 日にかけて、ローマで、文化財の不法な輸出、
輸入及び所有権譲渡の禁止及び防止に関する Unidroit 条約を採択した外
交会議が開催された。メキシコ外交の努力が実り、同非公開会議の副議長
に選出され、メキシコの参加は傑出しているという評価を受けた。

法律文書の作成

　最初の困難は、新条約の有効性の物理的範囲の限定であった。そこで実
際的な解決策を選択したが、当該文書は UNESCO 条約のヤーヌスのもう
一つの顔であったという事情があった。そのため、新条約の範囲は
UNESCO 条約の範囲に適合させて、それによって同一の効力を持った物
理的範囲を定めることができた。結果的な文化財の概念は、武力紛争の際
の文化財の保護のための 1954 年のハーグ条約に関する概念と実質的に一
致する。

　この筋立ての重要な点の一つは、有形財産を規制する様々な法律の相反
を解決することにあり、そのためにはあらゆる法制度は、有形財産の商取
引の予測可能性と確実性を確保するために根本的な決定を下すことを迫ら
れていることを念頭に置く必要がある。この領域での国内法は、極めて多
様な解決策に対応するものではあるが、二つの主要な法制度に分類するこ
とができる。英米法とヨーロッパ大陸法であり、後者はラテンアメリカ、
すなわちメキシコが含まれる地域で浸透して来た。

　英米法は権利を守り、それにより、誰も持っていないものを与えないと
いうネモダットルールの下で剥奪された所有者を保護する。メキシコの制
度が依拠する大陸法は、非所有者から購入した場合も含めた善意の第三者
の購入者を保護するが、同購入者は、平易に言えば、有形財産を所有者以
外から取得し、法的保護を享受する人を指す。この分野では、単に所有し
ていることが権利と同等であるという急進的な原則さえも採用しているフ
ランスの場合もあれば、メキシコのように控えめなニュアンスではあるが
同じ根拠に対応する国々もあり、ニュアンスに重要な差異が存在する。

従って、基本的な問題は、有形財産での文化性の特異性だけで、各仕向け国の法制度に例外規則の導入を容認するのに十分であるか否かについて提案することであった。

　更に、もう一つの複雑な要素を付け加える必要があると思われる。中間業者（不正取引の英語の用語では *middleman*）が、不正に発掘された文化財を、返還を極力困難にする目的で様々な管轄区域を通過させることは、周知の事実である。

　その目標を他に比類のないほど満足させている通過国が存在するが、一例はスイスであり、とりわけジュネーブ州の自由貿易圏が挙げられる。同所は、グレコラテン文化財の密輸組織のメディチ・マフィアの本拠地であった。文化財は、スイスやイタリアのように善意の第三者の購入者を強力に保護する最後の通過国の法律の*認可*を得て市場に入ってくるので、中間業者が求める法的効果は成功を収めてきたのである。

　この複雑さに加えて、国際私法の規則も考慮する必要があるだろう。それによると、様々な管轄の法律の間での—具体的には仕向け国の法律と原産国の法律—の相反が存在するならば、論争の発生地の法律が優先する（*物件が所在する場所の法則*であり、場所の法則が行為を支配することを認める）。

　この規則の特徴—各国の国内法に左右される—は、何らの法律をも優先せずに、第三の購入者にとって重要な内容を持つものではない以上、その中立性と抽象化である。*物件が所在する場所の法則*は、様々な法律の間の相反がある場合に法制度に調和的原則を付与する。

　こうした背景の中で、Unidroit 条約の採択のための外交会議が開催された。そして、同条約の構造は、盗取文化財及び不法に輸出された文化財に言及する UNESCO 条約の想定という二つの側面に対応するものである。

盗取文化財

　様々な法制度間に多大な相違があるにもかかわらず、Unidroit は、全ての盗取文化財は、再び英米のネモダットルールの保護に置かれるという妥協策を選択した。その採択は、文化財の返還を可能にさせる根拠であったので、偶発的な選択ではなかった。その決議の世界的な承認を得るため

に、国際的同意があり、盗取は罰するべしとする前提に訴えた。考古学文化財を対象に含めるために、メキシコの提案の下で、盗取文化財の概念の中に、不正または合法の発掘に由来する考古学文化財、しかし返還を確保するために不正に保持されている文化財が導入された。

そこの筋立てで傑出していたのは善意の第三者の購入者に対する保障であった。そのためには、UNESCO 条約には補償の上限がなく、更なる問題としては、常に自国の法律を適用するであろう仕向け国の法廷の基準に委ねることを分析する必要の可能性も考えられる。Unidroit はこの原則を放棄することなく、同基準を大幅に制限した。購入者が取得する文化財が盗取されたものでなく、そして英米法に固有のデューデリジェンス（契約締結上の過失でのデューデリジェンス）のプロセスが終了したことを承知しているまたは知っていたはずであるという条件の下でのみ補償がなされるというものである。

それによって Unidroit は、概念として多様を極める善意という概念を放棄するに至った。これに関して詳細な研究があり、この概念の構成要素は国によってかなり異なり、その導入に固執していたら、認識は非常に困難になっていただろうと示している。それどころか、普遍性を目指すこの概念を抽象的に策定することは、その拒絶を後押しし、条約も失敗を宣告していただろう。このように Unidroit は、*無実な購入者または権利を有する人物への正当な補償*を強制する UNESCO 条約から根本的に離脱した。

一つの極めて論争的なテーマは時効に関するものであり、時の経過により権利が終了すると決定する。UNESCO 条約は、この仕組みの策定を国内法に再提起する。他方、Unidroit はこの決議から離脱し、考古学財の場合は消滅時効にかからないという基準を展開させる一方、その他の文化財については二つの側面、一つは剥奪された国家が盗取文化財について知ることとなったか、そうなっていたはずの時から 3 年間を、二つ目の側面は 50 年間を想定するが、いかなる場合でも、75 年という動かし難い期間を定める残存条項を設けた時効に固有の仕組みを策定した。

従って、この仕組みの策定を以って Unidroit は、UNESCO が定める盗

取文化財の目録の作成義務から離脱し、特に、未発掘または不正発掘由来の考古学財に関する常識を疑い、そのために別の方法で同定されたという遠回しな表現を用いたこと（第3条7項）を、この分析は除外していない。このように、伝統的であった目録の私法的基準は国際的に徐々に放棄されて行き、目録に於いては、考古学遺跡の基準よりも帰属の基準、即ち、変更すべきところは変更して、文化財の分類のカナダの見解に相当する文化的分類が優先すべきであると指摘された。

この背景の下で、Unidroit と UNESCO との組織的提携によって、国家とその未発掘の文化遺産との繋がりを規制する法律が認可され、それによって必要なアグレマンを確保した。

エピローグ

当初より Unidroit は、様々な国内法を調和させ、国際関係に論争の予測可能性と解決を持ち込むためのあらゆる試みは慎重を要する長期的な課題であるというテーマに関して極めて敏感であった。同様に、文化財の不正取引は非常に複雑であり、国際社会での様々な取り組みを余儀なくすることを作業の中で回避しなかった。

そうした取り組みの中で不正取引の抑制に照準を置いたものは、市場の優れた実践に訴えて、国際美術市場の動向に関する国連安保理の分析支援制裁監視チームが実施した診断を十分に念頭に置くことである。

Unidroit の文化条約
盗取または不法に輸出された文化財の回復　II

不法に輸出された文化財の回復に関する Unidroit 条約の第二の構造的要点の作成は、挑戦そのものであった。外国の管轄権の中でこの種の物件の正当性を証明するには、原産国にとって、自らの利益になるように自国の法律に訴えざるを得ないことが明らかになった。そうすることで、相手方（仕向け国）は、国内法制度に相当違反する原産国の輸出法を自国領土

内で並置させていた。他方、原産国は、仕向け国の管轄外で不正の持ち出し行為が発生したことを証明しなければならなかった。この状況の複雑さを理解するのに多くの想像力は不要である。

　仕向け国は即座に反対を表明した。仕向け国の法制度は、国内の文化政策を様々な形で決定するような」外国の立法機関によって容易に操作される可能性があり、受け入れ難い干渉であるという主張であった。従って、諸国全体にとって受け入れ可能な解決策を考案しなければならなかった。しかしながら、国内法を優先する構造の国際法の伝統的な適用を正反対の方向に持って行く方針は、不法に輸出された文化財の返還が価値を失うことになりうると想定する（*lex rei sitae o lex situs*：物件が所在する場所の法則は論争を支配する）可能性があることを念頭に置く必要があるだろう。

不法に輸出された文化財

　この Unidroit 条約の第二章では、国際社会が諸手を挙げて賛成していた、物件が所在する場所の法則を敢えて放棄した。そのためには、国内法に付託する UNESCO 条約の規定の適用免除もしなければならなかった。この方策は、極めて革新的なものであり、文化的な国際秩序の策定を目指していた。もちろん、あらゆる公的秩序と同様に、世界的な承認を得るには、制限的特徴が顕著であり、既に同意に達している前提が必要であったのは否めない。

　同条約のこの方策の下で、一方では、外国の法律への付託を回避することができたが、このことが原産国にとっては、仕向け国でその国内法に違反し、直面するような外国の法律の適用を要請する必要があることを意味するという悪条件があった。更に、仕向け国の法制度が外国の立法機関により変更されないこと、及び文化政策も外国で決定されることはないと仕向け国に保証する有様であった。この規定の承認のために、国際連帯の原則に訴えた。議論は功を奏して、この国際法上前例のない視点が承認されるに至った。

　確かにこの公的性格を有する想定は、適用に際して大幅に制限されているとは言え、メキシコの文化外交は、考古学的文化財が、*文化複合体*（第

5条3項b号）の項目の下での保護の前提に含まれるための働きかけを積極的に展開し、この種の物件の保護の二番目の目標が達成された。

ここで疑問が直ちに湧き上がってくる。メキシコはいつ盗取文化財のスキームを採用し、いつ不法輸出の場合のスキームを採用すべきなのか、である。その答えは、いずれかの代替策を徹底的に分析して、当該文化財が盗取または不法輸出対象かどうかを明確に証明できるかにかかっている。

時効というテーマはこの視点に強い影響力を持っていた。この分析では、従って、盗取文化財が考古学的性質ではないという留保付きで、時効の仕組み（方法、過程）が同財については制限されており、そのことは、同等の国際的法律文書の構成で画期的な出来事を表しているという明確な指摘を怠っていない。その意図は明白である。時効という議論によって、単なる時の経過で不正取引をあたかも合法的に見せかけることの防止である。

メキシコの文化外交は更に踏み込んだ。先住民共同体の儀式または宗教財、即ち、メキシコの共同体の財を含む財の保護を達成した。この優れた新機軸の要素は、後に UNESCO の無形文化遺産に関する条約として開花するものの萌芽である。それに加えて、その当時には最先端として意義を発揮し、現在では先住民共同体の世界的運動の旗手的根拠となっている。

不法に輸出された文化財の性質に適合しているべき仕組みが模索されたが、メキシコは同様に、その文化財に関する特別（アドホック）デューデリジェンス固有の仕組みを展開させた。

共通規定

原産国にとって大きな困難の一つは、論争を担当する権限を有する裁判所の決定である。回復の要求対象の文化財の所有者の住所なのか、同財が現実に位置する場所であるべきか、という問題である。

この難題を解くために革新的な方策が導入された。原産国は、所定の裁判管轄区域のいずれかで回復要求に効力を持たせる（便宜法廷 forum conveniens）ことができるというものである。そして、回復要求がなされている文化財を確保するための一連の予防措置も含められた。回復要求の

ための行動の提訴が逼迫する中、文化動産は容易に場所を変え、論争を躱しながら原産国の回復要求を阻止することは多々ある（第8条3項）。

　Unidroit 条約は、盗取文化財または不法に輸出された文化財の返還にとって最も有利であると締約国が判断するその他の規則の適用を妨げるものではない。実際には、締約国は、文化財の回復要求に効力を持たせるために、他の国際条約と一般慣習国際法とに訴えることができる。

エピローグ

　この Unidroit 条約は、今年（2020 年）に採択 25 周年を迎えるが、文化遺産の保護のための国際法の蓄積したレパートリーの中で新たな要素となっている。Unidroit は、本来の使命感で、個々人の間での私法の領域で統一法のモデルを創出すべく取り組んでいる。具体的には、不正取引の中の重大なテーマは、国家間ではなく個々人間という領域で発生するという一つの事実から出発する。

　Unidroit は、この条約と統一規定の進展を通じて、美術商、オークション会社及び美術館・博物館のような市場の取次人の行動が変化する可能性があることを考慮した。

　確かにこの条約は、該当する UNESCO 条約を補完するものではあるが、複数の執筆者が関与し約束を述べた本文であった後者とは異なり、空疎な言葉を羅列した文章にならないで済んだ。その結果、UNESCO 条約は多種多様な解釈を免れず、当事国による履行上の明らかな差異が見られた。欠陥は重大であった。45 年後の 2015 年 5 月にメキシコが議長職を務めた時に、漸く運営上の指針が採択され、事務局が一つ設置されるに至った。

　明かななことは、Unidroit 条約だけで不正取引が解決するまたはオークションが急激に抑制されると思われることは決してなかった。反対に確実なのは、文化遺産の保護の仕組みの構築に寄与し、国際美術市場の有効性に於いて、根本的な安全性及び予測可能性の要素を国際法に導入する重要な手段を指していることである。

　法的視点に立つと、この条約は、理解が単純で実用的で均衡の取れた本文で作成されている。政治的に見ると、国際平和及び安全保障の構築に資

するものである。

　国連の安全保障理事会は、ピーター・ウイルソン英国大使の議長の下で、文化遺産の破壊には、国際平和及び安全保障を動揺させるその他の出来事へと同じ対応を行うべきであると主張した（2017年3月、決議第2347号）。これこそが Unidroit 条約の真髄である。

　ミシェル J. シソン米国大使は、投票の理由を述べた時に、自称イスラム国の中心的指導者であった故アブ・サヤフが、国際テロへ資金供給のために西洋で文化財の取引をしていたこと、そしてそのことが、邪悪な活動に向けられる資金で国際テロを助長する国際美術市場と仕向け国を苦境に陥れると断言した。

　アントニオ・グテーレス国連事務総長も引けを取らなかった。2017年3月17日の年次報告の中で、Unidroit 文化条約及びその革新的な諸側面について、文化財の不正取引の抑制と回復の確保のためのデューデリジェンス（契約締結上の過失に関する調査）と評価した（S/2017/969 10及び33）。

　1995年にローマで開催された外交会議の作業の閉会時に語った当時のイタリア大統領のオスカル＝ルイージ・スカルファロの言明は、雄弁以上のものであった。この条約は国際美術市場、更には考古学文化財のように慎重を要する領域に、法的秩序のみならず法的良識をも導入したと主張し、次のように結論付けた。「この条約は、多くの成果を収めた中で、諸国民間の理解と文化の普及を促進するものであることは明白である。」

メキシコー米国二国間協力条約の50周年

　1973年5月、カリフォルニア州カレクシコ在住のジョセフ・ロドリゲスは、テキサス州ダラスのモーテルに、不正取引による先コロンブス期文化財の重要なコレクションの纂奪目的で宿泊した。現地の市場で売却を開始した後、ロドリゲスは、州内のサン・アントニオのモーテルに移動し、同所で当時同市のメキシコ文化研究所長であったアルベルト・ミハンゴスに略奪品の一部の売り渡しを申し出た。ロドリゲスにとっての不運は、ミ

ハンゴスが率いていた組織はメキシコ政府系であったことである。

　ミハンゴスは、問題の文化財のロットの存在と特徴を確認するために、自分の職責を伏せたまま、同研究所の図書館長のアデリナ・ディアス＝サンブラノに同行を求めた。ロットに含まれていた多くの高価な物件は、泥と藁で保護されていた。ミハンゴスの明確な質問に対して、ロドリゲスは、文化財は密輸されたものであり、主要なコレクションは不正取引の現場であるカレクシコに保管してあると臆面もなく答えた。そればかりか、メキシコの考古学遺跡に５部隊を配備しているとも語った。

　売り出されていた小像にロドリゲスがつけた値段は、５千ドルから２万ドルの間であった。ロドリゲスは、価格の大幅な上昇の理由は、1970年のメキシコ合衆国及びアメリカ合衆国間の協力条約という盗取された考古学、歴史及び文化財の回復と返還を規定した「条約」であると論じていた。メキシコから警戒の要請を受けた米国連邦捜査局（FBI）は、ジョン・マッゴーレー係官によるおとり捜査を実施し、マッゴーレーは *Mr.* ドゥーリーというハンドルネームで行動した。

　Mr. ドゥーリーは、組織に潜入し情報提供者の代行をさせるべくトラビス・ベンケンドルファーを採用した。1974年２月に、ベンケンドルファーは、*Mr.* ベンクスというハンドルネームで、文化財の取引業者であるアダ・シンプソンと接触し、メキシコから不正に持ち出された先コロンブス期物件を中心とする文化財の購入に非常に関心があることを表明した。発言に信憑性を与える目的で、ベンケンドルファーはアダ・シンプソンに、その情報はニューヨークのロングアイランドの米国マフィアから提供されていたことを述べた。アダは、夫のウイリアム＝クラーク・シンプソンと共同出資者のパティ・マクランは先コロンブス期物件の重要な船荷を待っているとベンケンドルファーに語ったが、その際、船が国境を通過する前に事故に遭ったが既に乗り越えたと付け加えた。アダは、重量が３トン以上のマヤの石碑の売り渡しをベンケンドルファーに申し出るに至った。

　1974年３月、マッゴーレーとベンケンドルファーは、商談をまとめるためにサン・アントニオのホテルホリデーインに宿泊した。メキシコの国

立人類学歴史研究所のおとり捜査官は、問題のロットが本物であるかどうかを検査した。商談の最中に、取引業者達は、極めて重要なマヤの石碑が際立っていたクリーブ・ホリンシェッドの手による重要なコレクションの売り渡しを申し出た（*United Stats v. MaClain, 551 F.2d 52, [5th Cir.* 裁判には、全米東洋・原始芸術古物商協会カス・キュ 1977], *545 F.2d 988 [5th Cir. 1977], 593 F.2d 658 [5th Cir. 1979], cert. denied 44 U.S. 918 [1979]*）。

FBI の捜査官は、商品担当の郵便局員をも装っていたロドリゲスと取引に入り、ロドリゲスの共犯者のウイリアム＝クラーク・シンプソンとマイク・ブラッドショーに対して、マッゴーレーに、85 万ドルを上回る価格がついた、ロスアンゼルスの地所に保管してあったコレクションを全て見せてくれるよう要請した。そして両当事者は同所で落ち合うことで合意した。1974 年 3 月 6 日、サン・アントニオとロスアンゼルスで、これらの業者は逮捕され、メキシコの先コロンブス期物件の不正取引を行う最も有力な組織の一つが暴露されることになった。これが契機になり、マクランの判例として世間の注目を集め、専門文献によって広範に引用された裁判事件（コーズセレブレ）が始まった）。

法的欠陥

パティ・マクラン、ジョセフ M.・ロドリゲス、アダ及びウイリアム＝クラーク・シンプソン及びマイク・ブラッドショーは、テキサス州西部地区連邦地方裁判所で起訴された。裁判は、法的な変更が蔓延ったことにより、同一の訴訟は二件の裁判を実施するに値する程であった。

「条約」に従って、メキシコは、必要な証拠を提出する必要があった米国の司法省を通じて訴訟に出廷した。陪審員は最終的に、連邦窃盗財産法（National Stolen Property Act: 英語の略語で NSPA）に違反して先コロンブス期財の輸送、受領及び商業化により被告人らに有罪判決を下した。

裁判には、全米東洋・原始芸術協会（National Association of Dealers in Ancient, Oriental and Primitive Art：英語の訳で NADAOPA）が、アミカス・キュリエとして出廷したが、当該論争は民事の領域に止まるべきであるとする論拠の下、NSPA の適用に断固として反対した。

　NADAOPA は、メキシコの法律は紛らわしく理解し難く、刑事告訴に足る十分な条件になっていないとも主張した。更に、同法律の進展過程を分析して、先コロンブス期物件の所有権がメキシコ国家にあるのは、1972年5月の連邦考古学、美術及び歴史建造物並びに区域法（1972年の法律）の発効以降であると結論付けていたと述べた。

　有罪判決を受けた者らは、第5巡回控訴裁判所に対して当該決議に関する議論を求め、メキシコの法律に従って、証拠書類以外に提出された証拠は不十分であると申し立てた。

　同裁判所は、メキシコ領内で存在する先コロンブス期物件に関する所有権が明白に発令されたのは1972年の法律であって、1897年及び以降の法律ではなく、それらは先コロンブス期動産に対するメキシコの所有権について確実に発令していないと論じた。期日の正確さに関する論議は決定的となった。不法輸出がいつどのように遂行されたかに関する証拠を提出することであったが、問題の行為は、絶対に1972年の法律の後に行われていなければならなかった。この論拠は、メキシコが自国の文化財の回復のために開始した国際訴訟の対象領域を提示した。

　上述の控訴裁判所は、その決議で、マクランの論拠として知られる内容を展開し、それによると、NSPA は当該物件に関する権利を有することが示される限りに於いて、外国の財産も保護するというものであった。更に良いことに、この論拠は、外国に保有されていない物件や未発掘の先コロンブス期物件にも及ぶことである。

　マクランの論拠は、盗取された外国の文化財の分野で、NSPA の基準は過酷な条件の下に置かれていること、即ち、先コロンブス期物件はメキシコの主権の及ぶ領域に存在すること、1972年の法律は盗取が遂行された時点で有効であり、法律自体が米国市民に対して何らの混乱も引き起こさないように十分に確証のあるものであることを主張している。この判例は、米国での判決の方向を定めることになった。

　これらの事象だけでは不足ならば、1969年に *Art Journal* に発表された論文の中で、当時ハーバード大学のピーボディ考古学・民族学博物館に出

向していたレマンシー・コギンスは、合計で3トン以上の石碑がメキシコから持ち出された様子を詳述したものが挙げられる。1970年代のマヤ文化の略奪は、植民地時代の出来事以外に匹敵する対象がない程の酷さであった。

文化外交

メキシコの文化外交は、その歴史に於いて、紛れもなく功績を成し遂げて来た。このことは先に言及した墨米二国間条約についてであり、そこではメキシコの法律の基本的文化的概念が取り込まれて、何らかの形で国内の考古学遺跡の略奪により引き起こされた出血を抑制するものであった。

「条約」の交渉冒頭、メキシコの外交は、ワシントンが多角的条約よりも二国間または地域内条約の締結を好む傾向があることを十分に意識していた。著名なアメリカ国際法学会（American Society of International Law：英語の略語でASIL）は、その主題について国務省に助言を与えた。

この同盟は不可欠なものとなり、世界規模での文化財の返還の分野での最初の二国間条約を実行可能とした。このように、この法律文書は、米国との文化協力及び法的支援の原点（*urprung*）であると同時に、他の二国間条約のモデルであることによって重要性を持つに至った。考古学、歴史及び文化的文化財の定義は、最も重要なものに限定されているとはいえ、その証左である（第1条）。

「条約」が締約された時代—1970年代—には、メキシコでは激化したナショナリズムが横行していたため、この二国間条約は、マクランの事例に示されたように、有罪とするのに役立つ全証拠を提出する狙いで各々の行動を開始するために両国の司法当局への提訴を義務付けた。

実際のところ、外国の政府に対し、メキシコの管轄内に出廷できるように、有効な手続き的正当性を与えることは、国内では極めて微妙なテーマである。その影響を挙げてみると、メキシコが、1976年の米州諸国の考古学、歴史及び美術遺産の保護に関する条約（サン・サルバドル条約）の批准を差し控えた理由の一つとなっているが、実は、その条約は、ラテンア

メリカ諸国が仰天する中、メキシコ政府自身が熱心に促進したものであり、また、この法律文書が、最重要点としてメキシコの文化遺産の根本的概念を組み込んでいた背景があった。メキシコは、その代わりに、グアテマラのようないくつかのラテンアメリカ諸国とは、合憲性が疑わしい事後的（*ex post*）二国間協定を優先した。

　分析の範囲を拡大すると、メキシコ外交の境界線がより鮮明に見えて来る。米国は、1970 年の UNESCO の文化財の不法な輸入、輸出及び所有権移転を禁止及び防止する手段に関する条約を批准したときに、自国の法制度に則り、文化資産保護法（Convention on Cultural Property Implementation Act：英語の略語で CCPIA または CPIA）を公布した。

　この法律は 1983 年に公布されたものであり、非常に複雑な構造を有する。同法を批准するに当たり、米国の上院は、適用に留保を設けて、6 種類の解釈を施す宣言を行った。その 3 年後にメキシコは、政治的だが内容のない外交文書を発して、米国の対応がメキシコの文化遺産を危険に陥れるという趣旨の警告を行っていた。

　米国が行なった宣言の中で最も重要なものの一つは、民族学の概念に言及するものである。米国にとって、民族的性質は、工業社会ではない部族社会の産物であって、特有の性質、比較上の希少性または物事の起源の知識への貢献であれ、諸国民の文化遺産にとって重要な産物だけに関するものである。実際的な効果を念頭に置き、植民地及びそれ以降の時代の全ての文化遺産は、この定義の想定に適合するのではない（CCPIA 第 9 条）。

　CCPIA の条項では、米国の法律実務では通例の了解覚書（Memorandums of Understanding：英語の略語で MOU）を締結する必要がある。これらの MOU は、ペルー、コロンビア及び中米、特にグアテマラとの間で数回締結された。この上院の解釈に関する基準に則り了解覚書を締結する際、議員は、当該地域の国々の植民地及びそれ以降の時代の文化遺産を理解しなかった。

　そうした中、メキシコの文化外交の弛まぬ展開と上述の二国間条約の締結の紛れもない達成は、特別な重要性を帯びる。更に、1972 年に、米国

議会は、先コロンブス期記念物、建築彫刻または壁画の輸入を規制する法令を承認した（*Public Law No. 92-587, 19 U.S.C. § 2091 et seq. [1972] TITLE II - Regulation of importation of Pre-Columbian Monumental or Architectural Sculpture or Murals*）。

エピローグ

　マクランの論拠は、米国の裁判権の慣例に深刻な影響を及ぼした。いくつかの先例がこの断言を説明している。2002年6月に、マンハッタン南部地区のジェッドS・レイコフ連邦判事は、有力なNADAOPAの元会長で、プリンストン大卒の画商フレデリック・シュルツに実刑判決を言い渡し、シュルツが、エジプトの文化財の取引を行っていた、*下卑た泥棒以外の何者でもない*という判断を明確に示した。

　シュルツは、文化財の輸出を促進する文書偽造の専門家で、有罪判決を受けたイギリス人のジョナサン・トカリー＝パリーと共同事業を営んでいたが、米国は2007年には既にエジプトとMOUを締結していたことが特筆に値する（*U.S. District Court for the Southern District of New York-178 F. Supp. 2d 445, S.D. N.Y. 2002, January 3, 2002*）。

　中米地域にとって重要な別の先例は、US. vs Hollinsheadの事例という、グアテマラがマヤの石碑を回復するに至った返還要求である。訴訟は、マクランの判例に於けるメキシコの弁護以上の巧みさで展開された（*United States v. Hollinshead, 495 F.2d 1154 [9ᵗʰ Cir. 1974]*）。

　最後に挙げる、キプロスの完全に独立したギリシア正教会対ゴールドバーグ＆フェルドマン美術株式会社の訴訟の中で、第7巡回区控訴裁判所のカダヒー判事は、1990年10月に、キプロスの正教会の一続きのモザイク作品の返還に関する記憶すべき判決を下した。この通暁した判定者は、当該物件の返還は、飽くことのない野望及び法律と諸国民の歴史文化への蔑視は、国際社会と裁判権によって無視されることはできないという注意喚起となるべきであると表明した。

1970 年の UNESCO 条約の 50 周年

　最近に至るまで、歴史はいかなる変更や再解釈の影響をも受けない一連の事実に類似していた。しかしながら、時の経過と共に、過去は、議論を呼ぶ方法で作られた、現在の現在たる所以（アイデンティティ）を形成する力を持っていることが露わになった。歴史と集合的記憶は、今や、政治的議論と学術的論争の中心の一つになっている。

　文化に関わる新国際秩序の出現がもたらした結果は、国際法は公法私法共に、新たなパラダイムを前に平然と無関心を続けることができないということであった。このように、*有形文化遺産*、*無形文化遺産*、*世界遺産*など新たなカテゴリーが加わったことで、法的用語は充実した。更に、20世紀後半の富の増大を追加する必要もあったと考えられ、それによって巨大な国際美術市場の形成が促進された。最も高い評価を受けている文化財の中で群を抜くのは考古学財である。それ故、市場は、考古学遺跡特に地中海流域、メソアメリカ及び中央アンデスの遺跡の略奪によってその貪欲を満たした。

　同様に、層序の復元を含む考古学的探査の分野での科学的方法論の発展は、知識の計り知れない源泉としての考古学遺跡の保護の重要性を示すことに留意する重要性もあった。その目的は、知識の保護と未来の世代への継承という上述の方法論の主要機能を確保することであり、文化遺産の保護を正当化する目的である。

　この新たな国際秩序の中で、必須の基準点は墨米協力条約（Treaty 条約）と文化財の不法な輸入、輸出及び所有権移転を禁止及び防止する手段に関する条約（Convention、UNESCO 条約）であり、後者は、本年（2020 年）は採択 50 周年を記念する年である。

背　景

　1960 年以来、文化での新国際秩序の創出に積極的なメキシコ外交は、ペルーと共に、UNESCO で文化遺産の保護のためのイニシアチブの展開

を開始していた。しかしながら、その骨格が固まるには、UNESCO の総会が有形文化遺産の保護条約の策定を決定した 1968 年まで待たなければならなかった。仕向け国は輸出証明書の添付のない文化財を輸入することができず、また博物館は、所蔵品目録に不確かな由来の物件を追加すると処罰されることから、上記の狙いは非常に野心的であった。当事国の行動範囲は極めて限定的であったが、それは、UNESCO 条約草稿はいかなる留保も認めておらず、各国は、批准プロセスで条約を一括して受け入れる必要があったからである。

　仕向け国側で抵抗が直ちに出現した。メキシコ外交にとって米国の表明は重大な懸念であった。その中で三項目が際立った動揺を引き起こしていた。最初の懸念は、米国は多様を極める文化財の輸出証明書を検査する手段を欠いているだけでなく、それに必要な行政コストの負担にも無理があるというものであった。二番目は米国の連邦制という構造に由来しているが、UNESCO 条約の草稿に含まれる条項の多くが、米国の連邦組織の管轄に影響を及ぼしており、そのために同条約の批准は実現性を欠くものとなった。三番目は、とりわけ微妙な内容であり、善意の第三者の購入者に対する賠償に関してであった。

　メキシコ外交は、草稿は、バランスが取れていて、柔軟な対応を求める点で、米国と一致した。そうした中、1970 年 4 月、UNESCO にメキシコが議長を務める政府専門家特別委員会が設立された。メキシコは、合意に達したイニシアチブが、仕向け国の支持を得られていないことを確信した。新たな時代の幕開けにあって、既存の条件下では代替策の模索が不可避であった。

　驚くべきことに、2 週間で応急的に作成された文書は、様々な利害関係にとって許容できるものとなった。米国以外にドイツ、フランスが加わった。これら二国は既に 1969 年 5 月に考古遺産に関する欧州条約を承認していた。1970 年 11 月、再びメキシコの議長職の下で、平和時の文化遺産の保護に関する条約の原点であるこの法律文書が承認された。

　時が過ぎて、やはりメキシコが議長を務めた作業が実を結び、1970 年

の UNESCO 条約の運用ガイドラインが承認され、UNESCO に新たな事務局が設けられた。

UNESCO 条約の強み

この条約は、文化遺産の保護の重要性を強調するために、新たな用語を始めて導入し、国際社会に責任感の意味を与えながら培い続けた意識の高揚を迎えたという意味で、極めて重要な意義を持つ。

UNESCO 条約は、国際社会に、文化財の不正取引を抑制するための代替策をもたらした。メキシコ外交は、柔軟性ある本文の作成を推進することによって、多数の国による条約の批准を実現可能にした。この法律文書は、多様な倫理規程の策定を奨励して来ており、司法に信頼できる記述を提供する。

UNESCO 条約の弱点

この条約の汎用性は、しかしながら、締約国による批准の際に多くの留保や解釈を巡る宣言の引き金になり、そのため、条約の統一性が損なわれた。このように、各国の条約に対する独自の認識が、国内に波及せざるを得ない影響を作り出すのである。従って、条約の法的拘束力を持つ性質は、各国内法の基準に左右されることになる。これは米国の場合に当てはまり、同国は、条約の批准の 10 年後に、適用に留保と 6 種類の解釈を施した文化資産保護法（*Convention on Cultural Property Implementation Act*：英語の略語で CPIA）を公布した。

この分析の目的で特別に重要となる事実は、CPIA が、250 年を下回らない古さであり、先住民共同体出土の文化的重要性を持つ財を、考古学及び民俗学財のカテゴリーに含めたことである。しかしながら、その前提には二国間協定（了解覚書、*Memorandum of Understanding*：MOU）の締結があった。

これらの条件の下で、ペルーは、MOU の中に、先住民族をキリスト教に改宗させるために用いられた道具を含めることに成功して、この基準に基づき、「二つの三位一体または聖霊と父なる神との聖家族」、「パドゥ

ヴァの聖アントニオ」及び「リマの聖ローザ」等の植民地時代の油絵を最終的に回復することができた（判例 *US v. EIGHTEEN CENTURY PERUVIAN OIL ON CANVAS, UNITED STATES DISTRICT COURT, E. D. VIRGINIA FEB 12, 2009 597 F Supp, 618 {E.D. Va, 2009}*。

　イタリアとの MOU はとりわけ上首尾に運んだが、それは、文化財の返還と長期の貸与を両立させることから成る、メキシコのような別の環境にとって十分な説得力のあるモデルであったからである。

　米国モデルは、また、他の仕向け国によって採用されてきており、その一例はスイスであり、2003 年 6 月、スイス連邦参事会により管理される文化財の国際的な移転に関する連邦法（フランス語の略語で LTBC）を制定した。MOU とは異なり、二国間協定には期限がないため更新の必要がない。スイスが UNESCO 条約を批准したことで、ジュネーブ州の自由貿易地域でグレコラテン物件を取引していたカポ・ディ・カピのジャコモ・メディチに由来するメディチ・マフィアの活動が明るみになった。

曖昧な側面

　このように、UNESCO 条約の主要な論争であるテーマの一つは、文化遺産、具体的には、「各国領土内で発見」された可能性のある文化財の定義についてである（第 4 条 b 項）。「発見」という用語は、様々な解釈を生んで来た。将来発掘される可能性のある物件について適用されるとする解釈がある一方、既に物理的に発掘されたものを指しているとする正反対の解釈もある。

　米国の法解釈は、原産国の法律が、未発掘の文化財に関する所有権を決定する上で十分に明確である場合に限って、前者の解釈に近いものとなっている（*Ancient Coins Collectors Guild v. US Customs and Border Protection*）。

　もう一つの曖昧さは、不可譲文化財に関して規定された用語に由来する（第 13 条 d 項）。この文章は、メキシコの場合であれば、先コロンブス期遺産を全面的に不可譲とするように、締約国が国内法で不可譲を法制化することを想定している。

　*博物館*の用語の使用についても、デジタル時代には、取得に際して特定

の法律に従う必要がある物理的な展示場所からネットワーク条の文化的空間へと移動したことを踏まえると、深刻な疑問点を投げかけている（第7条a項）。UNESCO条約は、締約国に対して、*各々の領土内にある美術館・博物館及び他の類似施設による文化財の取得を阻止するための国内法の整備から成る必要な対策を供給する義務を負う。*

　デジタル時代にあってはこの文章には反証が可能となる。とは言え、最も重要な疑問点の一つは、原産国と善意のある第三者の購入者の間の論争を十分に解決できないことである。1970年のUNESCO条約は、外交ルートを優先していることから、政府間だけに効力を発するものである。しかしながら、不正取引は、仕向国の国内法の適用という状況の中で、個人と個人の間で発生するため、文化財を略奪された国家が返還を巡る論争を解決するには、外国の裁判所に訴えることが不可避となる。

　かかる状況が呼び水となり、1995年6月に、UNIDROITの中で、盗難または不法輸出文化財に関する協定が採択され、そこでのメキシコ外交の働きかけは極めて重要であった。この条約は、本年（2020年）に25周年を迎えるものであり、UNESCO条約のヤヌスのもう一つの顔と見なされてきた。

　最後に、文化的な重要性が極めて高い文化財の所蔵品目録の作成に対する要請（第5条b項）は、際限のない議論をとりわけ未発掘の考古学物件または不正発掘由来の物件に関して、引き起こしてきた。それらの物件の所蔵品目録という要件は、常識に逆行するものである。そのため、UNESCOとUNIDROITは、未発掘の文化財の国有を定義づけ、盗取である場合は、原産国への返還を円滑化するモデル条項を策定した。

　この同じ背景の下で、メキシコは、特定の地域での考古学財の原産地という*文化的帰属*の概念のために、同財の特殊性を要求する所蔵品目録の私法的概念の放棄を推進した。この提案は、同目録が文化財の決定的な同定要素とする考えに取って代わる文化財の分類概念を導入したカナダの立場を準用するものである。

エピローグ

文化財は、諸国民の集団移動と諸文化の階層化即ち文化摂取、破壊及び融合の各プロセスの中で混合したものである。しかし、暴力と搾取、支配と略奪の歴史の中で翻弄されてきたものでもある。最近になって、仕向け国の方では、この UNESCO 条約の批准の緊急性が認識されてきた。2003年、湾岸戦争後のイラクで起きた考古学財の尋常ではない略奪と、中東の他の地域由来の考古学財の盗取を前に、その認識に対する説明は説得力を帯びる。それに加えて、バルカン半島やバーミヤンの大仏、トンブクトゥとパルミラのイスラム墓地のような極めて重要な建造物への、多くは偶像破壊運動を装った意図的な破壊がある。

上記の展望を前に、国連の安全保障理事会（SC）は、テロ集団やその他の犯罪組織の主要資金源の一つであった文化財の不正取引を阻止するために、分析支援・制裁モニタリング・チーム（*Analytical Support and Sanctions Monitoring Team*）の支援を受けて、決議（1483、2199 等）を発するに至った。

安保理決議は、法的拘束力を持つものであり、この UNESCO の条約の批准と仕向け国の国内法改正のための契機となった。一例を挙げれば、イラクの古美術品の保護のために 2004 年に米国で制定された緊急法（イラクの古文化美術品緊急保護法、英語の略語で EPIC）がある。

このような事実を目の当たりにして、文化に関する国際的良心は無反応を続けるどころではない。ジハード主義者のアフマド・アル – ファキ・アル – マディは、2012 年にマリのトンブクトゥの墓地の冒涜と略奪の首謀者であったことで、国際刑事裁判所により有罪判決を受けたこと（The Prosecutor v. Ahmad Al Faqi Al Mahdi）、そしてセルビアのパヴル・ストルガー将軍は、ドゥヴロヴニク包囲などの襲撃に対して、旧ユーゴスラビア国際法廷により有罪判決を受けた（判例　IT.01-42-A）ことを想起する必要があるだろう。

2017 年 5 月の文化財に対する犯罪に関する欧州理事会条約は、文化遺産の保護に向けて実質的な一歩となった（2017 年 6 月 15 日付連邦官報）。

　UNESCO 条約の策定に於いて卓越したイデオロギーは大きく変化した。植民地支配を受けていた国々の回復要求が次第に高まってきている例である。ベニン王国即ち西アフリカのエド州のブロンズ像の判例には、略奪と暴力が簡潔に記述されている。大英帝国の支配に屈した 1897 年に、大変な価値がある 500 体以上のブロンズ像が、占領軍によって梱包され、オックスフォード大学のピットリバース博物館と大英博物館とに搬出され、収蔵品は、今日、多数の返還要求の対象となっている。

　時代は変化する。これらの新たなパラダイムを前にして、1970 年の UNESCO 条約は平然と無関心を続けることは困難であろう。

「アテナⅡ」作戦　文化財の不正取引への警告

　2019 年の夏、文化財の不正取引に対する戦いとして、世界規模での大作戦の一つが実施されたが、捜査の機密情報部門につきものの秘密主義により、漸く今日その結果が明らかになった。

　インターポール、ユーロポール及び世界税関機構（英語の略語で WCO）は、コードネーム「アテナⅡ」並びに「パンドラⅣ」の各作戦の実施に、作戦連携部隊（英語の略語で OCU）の主導の下で協調して取り組んだ。文化財の不正国際取引という複雑なネットワークを解体し、密売人を告発するために策定した前例のない大捜査であった。

　捜査結果は説得力を持つものである。1 万 9 千点を上回る考古学物件及び美術品が押収された。その大多数は、武力紛争地帯にある博物館及び考古学遺跡由来である。中でも特に目を引く物件は、様々な時代の貨幣、陶器、武器、絵画及び化石である。この捜査には 103 カ国が参加し、101 名の密売容疑者が逮捕された。目下 300 件の捜査が進行中である。

　オンライン販売は、組織犯罪が現在利用している取引場であるため、最も精密な捜査が必要であった。この目的のために、組織犯罪対応を専門とするイタリアの部隊であるカラビニエリの主導の下で、所謂サイバーパトロール週間（*cyber patrol week*）が実施され、結果は示唆に富むものであ

る。オンライン販売されていた 8670 点の物件が押収され、その数量は「アテナⅡ」により押収された物件の 28％に及んだ。

　そのためには、情報と警報の交換に加えて、ユーロポール情報システム（英語の略語で EIS）と文化財の不正取引に関するインターポールのデータベースを利用した分析も必要であった。フランス、リヨンに本部を置くインターポールのアドホック（専用目的での）ポータルは、文化財の盗取を告発する全ての国が利用するサイトである。この作戦は、2010 年に設立された「犯罪の脅威に対する欧州の学際的基盤（英語の略語で EMPACT）」の枠組みの中で遂行されたものであり、武器密売及び白人女性の人身売買のような重大性の高い犯罪を阻止する目的での組織犯罪との戦いに重点を置いている。

　「アテナⅡ」は、スペイン国家警察などの様々な警察組織と共同歩調を取る世界税関機構とインターポールが主導した作戦であった。文化財の盗取に利用していた精巧な金属探知機を 180 台押収したと欧州の 6 警察が発表した。それを受けて、欧州内での文化財の盗取が増加していることが証明された。「アテナⅡ」の重要性を国際的に位置付けるには、若干の重要な事例を紹介するだけで十分である。アフガニスタン当局は、カブール空港で、イスタンブール行きの便に積まれていた 971 点の文化財を押収した。

　スペインでは、国家警察がコロンビア警察と協力して、トゥマコ文化の黄金の仮面と宝石類を含む先コロンブス期の黄金の人形像を押収した。

　スペイン国家警察は 3 人の密売人を逮捕する一方、コロンビア警察は、首都ボゴタで家宅捜索を行い、242 点というコロンビア市場最高となる数の先コロンブス期の文化財を押収した。アルゼンチンの行動も遜色がなかった。連邦警察が 2500 枚の古代コインを押収した。この枚数は、コインの分野では最大の押収量となった。ラトビアのような小国も文化財の略奪とは無縁ではなかった。同国の警察（Latvijas Valsts Policija）は、1375 枚の価値の高い古代コインを押収した。

評　価

　インターポールのユルゲン・ストック事務総長及びユーロポールのカトリーヌ・ドボール長官の結論は、重要な文化財を保有する全ての国は、組織犯罪の潜在的な対象であるという意味で、警報を鳴らすことで一致している。「アテナⅡ」は、作戦としての成功を別にして、不正取引の重大さとその経済的規模を白日の下に晒した。この種の取引に内在する秘密主義のために、「闇」取引は資金洗浄の温床と化し、また、高い収益性によって、組織犯罪の不正活動の資金調達にとって魅力的な手段となっている。

　本稿では、これまでの所で、「アテナⅡ」が詳らかにする内容を重ねて主張してきた。即ち、文化財の不正取引は、麻薬や武器の取引と同じ経路で、また恐らくは同じ主体が関与する中、進行することである。

　WCO の御厨邦雄事務総局長の認識では、「アテナⅡ」は、この犯罪は世界規模で展開しており、またインターネットの利用が不正取引の手段として拡大しているとは言え、関税及び検察当局が介入できる手がかりを残すものである。

国際協力

　文化財保護を巡る国際的意識は、説教師の単なる説教の次元を越えて、文化財の不法な輸出、輸入及び所有権譲渡の禁止及び防止する手段に関する条約（1970 年 UNESCO 条約）の採択を受けて、1970 年は、不正取引に対する戦いでの分野で新たな進路の幕開けとなった。

　2019 年に生じたいくつかの事象はその状況を証明している。同年 2 月には、ヨルダンはイラクに、バグダッド国立博物館から盗取されたシュメール語の文書、陶器やその他の家具什器から成るバビロニア時代の 1300 年の物件を返還した。イラクのアブドゥラミール・アル・ハマダーニー文化大臣は、イラクが被った略奪と破壊の激化について言及し、国の文化遺産の保護は、国際協力の中に位置付けられるべきであると述べた。その枠組みの中にある膨大な課題の一つが人類の世界遺産の保護である。

更なる証拠

中国産の物件の密輸数は不気味な程に増加した。イタリアのロンカデッレ村では、カラビニエリが800点の歴史的遺品を押収したが、その多くは、甘粛省、青海省と四川省での不正に発掘された、新石器時代及び明王朝（907年〜1664年）に属するものであった。

2019年11月、ミラノの裁判所は上記の物件の中国への返還を命じた。同月に、トルコが2点の極めて重要な仏教の遺品に対して同様の行動を取った。一つは唐王朝（618年〜907年）の洞窟に属するものであり、もう一つは隋王朝（581年〜618年）時代のものであった。

米国の美術市場も不正取引由来の物件で溢れ返っていた。そのため、古美術品取引規制局（Antiquities Trafficking Unit：英語の略語でATU、連邦国土安全保障省DHSの下部組織）の必要性への機運が高まり、2017年に、アメリカ合衆国移民・関税執行局（英語の略語でICE、米国の安全に関する捜査HISを担う）と連携して、主として中東由来の物件の不正取引と闘う目的で、ニューヨーク地区検察庁の中に設立された。

DHSによる捜査の結果は驚くべきものであった。これまでのところ1億5千万ドル以上の価値を有する文化財を押収した。成果の一つを挙げてみると、2019年2月の、2100年以上前のエジプトの神官ネジェマンフの黄金の棺であり、2011年にエジプトで盗取され、修復目的でドイツに輸出された。後に売却のためにパリへ搬出された。ニューヨークのメトロポリタン美術館（Met）は、400万ドルでパリの美術商から購入した。

2019年9月、サイラス・ヴァンス・ジュニア、マンハッタン南部地区検事長は、棺の本国への返還を命じ、文化財の不正取引を専門に行うマフィア組織の存在について警鐘を鳴らした。そして近い将来、更なる押収があるだろうとの警告は、ニューヨークの画廊の苛立ちを尻目に現実となった。結局、上記のエジプトの物件の返還を円滑に行うために、MetはDHSに協力するに至った。

2019年11月、ロストム・アル＝クバイシ、サウジアラビア観光・国家遺産委員会（英語の略語でSCTH）副委員長は、君主制時代のイラクの貴重

な書物と文書を同国に返還した。

　文化遺産の保護を巡る意識は、連合王国のような自由貿易の堅持を国是とする国々の管轄区域にも浸透してきた。2018年7月、ロンドン高等法院（正式名は女王陛下のイングランド高等法院）は、国際美術市場にとって最も重要な市場の一つについて分水嶺となる判決を下した。

　同裁判所は、その理由として、UNESCO条約が採択された1970年は、有名な美術館、オークション会社及び美術商にとって決定的な年であり、同条約が文化財取引の適法性を確定するための捜査の中で考慮する要素であることを示した。その結果、同条約の採択以前に欧州市場に搬入されたことが証明できない中東由来物件は、ロンドン市場での取引で多大な困難に直面するであろう（Jeddi v. Sotheby's）。

エピローグ

　最近の国際的な不正活動により、1970年のUNESCO条約は、採択時とは異なる含意を持つようになってきた。採択のための主導動機（ライトモチーフ）の一つは、平和時の文化財保護と同時に、盗掘及び盗取された物件の美術市場への送付の監視であった。今やパンデミックのために、UNESCO条約の50周年記念については、2020年11月にベルリンで一つ行事の開催が予定されているにすぎない。

　善意の諸目的は、瞬く間に仕向け国の抵抗に打ち当たった。UNESCO条約の限界は重要である。盗掘には適用されず、所蔵品目録に然るべく記載されていることを前提として、博物館、美術館または類似の施設から盗取された物件だけを文化財と想定しているのである。

　テロ集団及び犯罪組織の不法行為は、本稿で概説したように、文化財遺産の保存に関する国際意識の出現及びこの目的に資する類似した仕組みを1970年の条約に付与したことと相俟って、同条約に対して、採択時の解釈から大きく離れた最新の解釈を付与することを余儀なくした。

ヨーロッパ美術市場の新たなモデル

　国連安全保障理事会（SC）は、決議2178（2014年9月）を通じて、国際社会に対して、テロ集団との闘いのための国内の施策の実施を強く要請し、その後の決議2199（2015年2月）をはじめとする諸決議の中で、組織犯罪との闘いに関するこれらの要求を適用した。最近では、こうした犯罪集団の主要資金源の一つが、文化財の不正取引になっている。

　安保理の諸決議は、国際美術市場に予想外の影響を及ぼした。欧州連合も例外ではなく、欧州議会並びに欧州理事会による最高の表現である2019年4月17日付け文化財の搬入及び輸入に関する規則2019/880の実施に至ったからである。この規則及び附属書は、メキシコのような文化財の原産国の文化遺産の保護を考える上では看過されてはならない。

背　景

　2007年12月の欧州連合（EU）の機能に関する条約（TFUE）、即ちリスボン条約は、自由貿易及び商品の単一市場の構築に関する協定という異例な事例であることで、極めて文化的なテーマを発展させただけでなく、加盟国の法律が恣意的な差別となる手段であってはならないし、加盟国間の通商を秘密裏に制限するものであってもならないという留保付きで、加盟国に美術的、歴史的及び考古学的財産の規制の法制化を委任するという斬新な内容であった。

　TFUEは、英語版とフランス語版で*国宝*という用語を使用していた。重要な挑戦の一つは、様々な国で同用語の意訳に迫られることに由来した。訳語が分かれることは予想されていた。二つの異なった事例を紹介すると、スペインは "patrimonio artístico, histórico o arqueológico nacional" と、イタリアは "patrimonio artistico, storico o archeologico nazionale"（「国民の美術的、歴史的または考古学的遺産」）と訳出している。

　ジレンマはそこで終わらなかった。文化財に関する見解は、EU加盟国間で大きく異なっている。2003年1月、フランスの破毀院の刑事法廷は、

ハンス・アルプ及びゾフィー・トイバー＝アルプ財団に対し、フランスの所定の輸入承認書なしに、EU の自由貿易圏の真っただ中で、独仏二重国籍の作家ハンス・アルプ（1886 年〜 1966 年）の作品を移動させたことで、有罪判決を下した。

それに対して、2001 年にドイツ政府は、国の文化界の喫驚と慨嘆を尻目に、ドイツ人の地図製作者マルティン・ヴァルトゼーミューラー（1470 年〜 1520 年）のヴァルトゼーミューラー地図（*Universalis Cosmographia*）の米国議会図書への売却を認可した。

計り知れない価値を有するこの世界地図は、アメリゴ・ヴェスプッチの栄誉を称えてアメリカという名称を最初に使用したものであり、そこには新大陸がアジア大陸から分離して描かれている。この作品は、ドイツの国家的価値を有する文化財の目録に既に登録されており、国の文化遺産にとって不可欠なものと見なされていた。

意 義

上述の規則と附属書に基づき、EU は新たな法制度の下で美術市場を再構築した。当該法律文書の複雑さを考慮すると、条約の全面施行は、加盟国が国内法を調整して、最新の特別なコンピューター・システムを実施するための猶予期間である 5 年後の 2024 年になりそうである。規則が、文化財の不正取引への取り組みに於いて前代未聞の考え方を提供することは議論の余地がない。

TFUE が本質的に自由貿易に対応するものであるとは言え、規則は、文化遺産の保護に於いて、文化的、芸術的、歴史的及び科学的な領域の中で極めて重要な意味を持つ金言的叙述を展開している。人類の文化的記憶の永続化に象徴的な価値を有するため、規則の及ぶ範囲は表意的であり、人類の文化的記憶に関しては、知識と文明の発展を通じて到達する社会と人類の団結の要素を含んでいる。この側面は、同記憶の保護及び文化遺産の略奪と盗取に対する正面からの闘いを正当化する。

確かに盗掘は周知のことであるが、現在では通常考えられる限界を超えており、不正取引と相俟って、犯罪組織やテロ集団の手による重大な犯罪

行為を作り出して来た。特に武力紛争のために破壊し尽くされた地域では顕著である。不正取引の結果は、文化的アイデンティティの喪失のような有害な社会的インパクトをもたらしている。不幸なことに、多くは国際美術市場の消費欲の増大によって、盗掘は濡れ手に粟の状態と化した。この災難は、また、法規範の遵守がおぼつかないか、あからさまな不在という状況によって作り出され、結果的に闇市を強化する役割を果たしている。

法的構成

規則が想定する第一の規制は、EU 並びに不正取引の温床となっている関税免除区域に搬入しようとする全ての文化財の通関港に関係する。とはいえ、規則は広範な範囲を対象とする。関税の適正な管理を増進するだけでなく、EU 領土内の同物件の流通を規制する。

規則は、まず第一に、国際社会を構成する諸国は、文化財の国際取引の新たな枠組みである二つの中心的概念である、1972 年 4 月に発効した「文化財の不法な輸入、輸出及び所有権移転を禁止し及び防止する手段に関する 1970 年の UNESCO 条約」（UNESCO 条約）及び「盗取されまたは不法に輸出された文化財に関する UNIDROIT の条約」というヤヌスの 2 つの顔とみなされている内容に通じているという仮定から出発する。従って、規則によって用いられる定義はこれら 2 本の条約での定義と同一となる。

輸出の合法性評価に関しては、規則は、生産国即ち当該文化財が創作または発掘された国の法律に全面的に委ねている。かかる姿勢は、この状況では明らかに時代を牽引するような特質が看取され、司法的伝統に新たな地平を切り拓くものである。

規則は、文化財の不正取引の最も深刻な問題の一つを巧みに解決に導く。文化財の移動は国の法律の操作を示しているが、そうした国への通行は、ジュネーブ州の自由貿易地域にあるような第三者の購入者を手厚く保護するこれらの法律の許可取得のために、規制の網をくぐり抜ける中間業者（*Middlemen*）が利用している。こうした悪質極まりない行為を制圧するために、規則は輸入申請者に対して、原産国とは異なる第三国由来の輸出合法性の提示を要求する。

　文化財が原産国の領土内で創作または発掘されたとの断定が信頼性を欠く場合、または輸出がUNESCO条約の発効以前になされた場合にのみその除外が適用される。立証責任は明確に輸入者側にある。

　それだけではなく、輸入を行うためには、当該物件が滞在国で5年を上回る期間所在し、同国に到着した時点で、一時的な使用、単なる通過、再輸出または積み替えとは異なる諸目的に使われたことをも示す必要がある。通過国が複数ある可能性に対しては、これらの要求は最後の滞在国によって満たされる必要がある。

　関税の適正な管理を促進する意図の下で、規則は、創作100年以上経過している物件で、附属書に記載する、EUの文化財輸出を規制する2008年12月の指令116/2009に従って設定された金融的上限を越えかねない物件だけに焦点を絞っている。これらの基準は、世界で遍く認められている標準に従うものである。

　その目的は明白そのものである。犯罪組織の略奪に晒されている他の文化財の保護を妨げることなく、武力紛争地域で最も危険に晒されている文化財である考古学地帯由来の物件のように略奪を受けやすい物件に税関の努力を集中させることである。

　同様に斬新な方法として、また、EUの領土内でも文化財の移動に輸出証明書の添付を要求するフランスの行政的措置に倣って、輸入物件─とりわけ極度に脆弱であり、略奪と破壊を受けやすい考古学的物件または遺跡─は、通関港の置かれている加盟国政府が交付する輸入承認書の添付を義務付けるべきであろう。このため、上述の物件は、輸入者が原産国の合法的輸入及び輸出証明書類、権利書、インボイス、売買契約書、保険契約証書、運送書類並びに査定書の正当性を証明する必要がある特別な制度の下での審査にかけられることになる。このような文化財は、物理的な精査の対象にもなる。

　宗教美術品も特別な制度が適用される。規則としては異例な措置であるが、こうした作品は、教会、修道院または礼拝堂の一部を成すものであるか、イコノスタシス（聖障）即ち聖像（イコン）で覆われた壁のような調度品から分離されたものまたは一体型であるもので、礼拝と典礼にとって

本質的で不可分な部分であることから、肖像または宗教的事象を完璧なまでに表現しているものと定義づけている。

最後に、規則は、情報システムの開発並びに亡失または盗取の場合、文化的物件とりわけ考古学的、文化的及美術的物件を記述するために用いられることになる、オブジェクト識別子（英語の略語で *Object ID*）として知られる国際的な識別マークの参照を想定している。

エピローグ

国際美術市場は、ここ数十年間に考古学財を中心とする文化財の流入とその結果としての闇市の隆盛を経験して来た。この不正取引は、犯罪集団やテロ集団にとっての主要な資金源の一つになっており、秘密主義、緩い市場の規範と高い収益性によって拍車がかかっている。犯罪集団の手による文化遺産に有害な強奪と略奪は、国連の安全保障理事会の紛れもない説得力のある反応を惹起するほど悪質なものであった。

安保理の示導動機は、こうした集団の資金源に打撃を与えることであり、その目的で、一連の対策を展開しただけではなく、上述の不正行為への攻撃として同対策を採用するよう国際社会に対して強く要請して来た。

規則は非合法な出所の資金を除去するための重要な手段でもあった。EU のこの指令は、数多くの法律の中の一つでありながらも、新たな文化的地平の開拓への追風になるため、美術市場の再編成に於いて極めて重要な性格を帯びている。犯罪集団に対する国際社会の闘いの副次的効果は、文化遺産とその保護の活性化が直接的に利益を得ることである。

VI. 芸術と文化を巡る騒動

文化を巡る国際的な小競り合い

　2019 年 1 月、大英博物館（BM）館長のハルドヴィヒ・フィッシャーは、イギリスはエルギン・マーブルと呼ばれる諸彫刻をギリシアに返還することは決してないと宣言した。それに対するギリシアの反応も確固たるものであった。パルテノン諸彫刻 の再統合のための国際協会のジョージ・ヴァーダス事務総長（当時）は、そうした言明は、過去の遺物である大英帝国の尊大さと歴史的修正主義に由来するものと反撃した。

　イギリス労働党党首のジェレミー・コービンが選挙戦の真っ最中に、首相に選出されれば当該文化財はギリシアに返還すると述べなければ、この応酬は当たり障りのないものだったかもしれない。しかしその発言をすることで、戦後のイギリスで最も重要で激しい競り合いとなった選挙の一つに、選挙公約としてこの物議を醸す返還を政治論争に持ち込んだ。フィッシャーは、マーブルの保管は、議会から直接 BM に委託された案件であり、返還となれば法改正が必要であり、更にはその手続きには、逆に議会による命令が必要になるであろうと主張した。

　ギリシアがオスマン帝国の一部であった 18 世紀末期に、パルテノン諸彫刻の運命は、オスマン帝国のギリシア文化への関心の欠如により、火薬の保管庫になることであった。1799 年 3 月、第 7 代エルギン伯爵のトマス・ブルースが駐オスマン帝国イギリス大使に就任し、個人秘書を務めていたナポリ出身の画家であるジョヴァンニ・ルシエリの支援を得て、ギリシアの象徴的な記念碑から多数の物件及び彫刻を剥ぎ取った。被害にあったのは、エレクティオン（ギリシア神話の英雄エリクトニオスに捧げられた神

殿）、アテナイのアクロポリスへの入り口のプロピュライア（門）及びイオニア式のアテーナー・ニーケー神殿のような隣接する小壁と彫刻であった。

　ブルースは、これらの物件をスコットランドのダンファームリン近くの自宅の装飾に用いる意向であった。この略奪のための費用はイギリス大使が自ら調達し、当該文化財の剥ぎ取りにはオスマン帝国のお墨付きを得ていたと常々述べていた。後年、私的目的のために外交官の地位を利用した背任罪による告発を受けたため、英国王室に貴重な物件を譲渡することを余儀無くされ、物件は大英博物館に納められるに至った。

　このエピソードは、そこに政治的、文化的及び社会的要素が集束しているために、文化財の返還のテーマに於いては最も重要なものの一つである。

　グアテマラのマチャキラー遺跡に関する米国の裁判所での判例も引けを取らない。ペテン県の非常に便の悪く、メキシコとの国境からほど近い場所に位置するこの遺跡は、壮大なマヤの石碑で知られている。しかしそこでの略奪は日常茶飯事であった。マチャキラー2として知られる最も有名な石碑と祭壇の物件の一つを発見したのは、米国の考古学者のイアン・グラハムであり、グラハムは写真に収め、グアテマラが国内に存在する全考古学的遺産を自国の財産であると既に宣言をしていたときに、この遺跡の存在を資料で裏付けた。

　ベリーズの密売人のホルヘ・アラミージャは、米国人のエド・ドワイヤーとジョン・ブラウン＝フェルと共謀して、石碑を分割して米国に密輸し、同所でクライヴ・ホリンズヘッドが修復した後に取得した。グラハムはこの略奪について知らせを受けて、ホリンズヘッドを連邦捜査局（FBI）に告発した。1974年、ホリンズヘッドとその共犯者に対する有罪判決が、サンフランシスコに本部を置く米国第9巡回区控訴裁判所で確定された。グラハムの証言及び写真資料は、裁判で決定的な役割を果たした。

　この事例の重要性を過小評価する向きもあるかもしれないが、現実はそれどころか、米国で文化財の返還に関する最も重要な転換点の一つとなった（United State v. Hollinshead, 495 F.2d 1154, 9th Cir., 1974; Hughes 1977: 149）。

　判決の根拠は、ある機関から盗取された文化財を別の機関へ不正取引することに罰則を科す法律（全米盗品法：英語の略語で NSPA）である。この法律の適用については、原産国側の切望が強かった反面、美術商側の反応は拒絶であった。その背景には、文化財の不正取引を刑事的領域に持ち込む側面があったからである。結果的に、マチャキラーの石碑 2 号及び 5 号はグアテマラに返還された。

返還要求

　20 世紀の後半に文化遺産の保護を巡る国際的な意識が出現した。影響を及ぼした要因には、植民地体制の終焉と第二次世界大戦がもたらした荒廃などがあった。

　国際社会は反応し、様々な条約の作成に向けた流れの形成を推進した。そうしたイニシアチブの多くにはメキシコの中心的な役割があり、文化遺産の保護と平和時に適用する条約という二つの側面に関してリーダーシップを発揮した。

　文化遺産の保護に於ける最も慎重に扱うべきテーマの一つは、略奪された文化財の原産国への返還である。1973 年 12 月（決議 3187-XXVIII）、国連総会は、植民地主義と外国勢力が蔓延ることによる、略奪された文化財の国から国への大量で無料の譲渡がなされている状況を痛烈に非難し、個人、共同体、国家の別を問わず、そうした不正譲渡による被害者が被ってきた重大な損害を償うための基本的な方法は返還であることを鮮明に打ち出した。そのため、植民地等の体制として領土を占有している諸国に対し、略奪された文化財の接収と原産国への返還を要求した。

　この命令（決議 4/7. 6/5）に基づき、UNESCO は、1978 年の第 20 回総会（GC）で、文化財の原産国への返還または不法な入手の場合に於ける回復に関する政府間委員会（英語の略語で ICPRCP）を設立した。しかしながら、原産国と仕向け国との間の本質的な相違のために、その趣意書は実質的な内容を欠くものとなり、結果的にこの委員会の機能は単なる諮問的なものと化した。GC は、政治的及び司法的な迷路への侵入を回避したことから、返還請求の司法の場への持ち込みや裁判所での激論に委ねる状況が

生まれた。解決策の多様性のために判例の体系化が困難になり、解決策は、実現されることなく単に想起されるだけに留まっている。

　共同体による特定の機関に対する要求事項に関しては、最たる成功例の一つは、日本の滋賀県にある MIHO MUSEUM（ミホミュージアム）が所蔵していた北魏時代（386 年〜 534 年）に属する菩薩像を中国に返還したことである。この仏像は、山東省の博興県から盗取された高さ 70cm の美しい石像であり、MIHO MUSEUM は在ロンドン事務所を通じて約 200 万ドルで購入し、同美術館の象徴（エンブレム）として利用した。

　中国社会科学院考古学研究所の専門家である洪揚率いる関係者が粘り強く交渉を行った後、2001 年 4 月に合意に達した。中国は、MIHO MUSEUM が公開市場で当該石像を購入した際、正しくまた善意に基づいて手続きし、物件に対して一定の金額を支払ったことを認めた。同時に、自国の考古学遺跡の監視を強化し、国際社会に対して、中国原産の古美術品の盗取の可能性に関して注意を喚起する約束を迫られた。

　MIHO MUSEUM は、一切の賠償金の請求をも断念し、今後の中国由来の考古学財の購入については、その都度同国との協議を行うことを約束せざるを得なかった。同美術館は 2007 年まで石像を所蔵し続けることができたが、その年は設立 10 周年記念に当たり、山東省由来の類い希なる重要性を有する諸物件が主役として行事を飾った。

　ジーロフト・コレクションに関する判例（Government of the Islamic Republic of Iran v. The Barakat Galleries Ltd. [2007] EWHC 705 QB）は 2007 年 3 月にロンドンの諸裁判所で提出されたものであるが、一個人に対して国家が返還要求を行った視点の持つ重要性でも言及に値する。

　在ロンドンのバラカット・ギャラリーは、イラン南東部のハリル渓谷由来の、制作時期が紀元前 3000 年から 2000 年の間と推定される、盗取されたイランの古美術品を商業化する目的で購入していた。イランは、当該物件の返還要求に関して、同物件を 2005 年にフランス、ドイツ及びスイスで購入した同ギャラリーよりも優れた権利—国内法—を有すると主張して

いた。

　第一審の判決は、イギリス内で他国の強制力を伴う法律は適用できないという論拠の下で、請求を棄却した。しかしながら、控訴審では原判決を破棄し、イランの請求を認めた。裁判所の判断は、イランの請求は本質的に先祖伝来の性格を有するというものであった。それに加えて、法に基づく国家の所有権の普遍性の萌芽を展開し、かかる権利は領土外の司法権の中でも承認されるべきであるとした。その判断は、古美術品の構造的所有という概念の幕開けを示すものであり、自然人または法人は動産または不動産を管理するが、物理的な管理をしていない状況を説明する法的擬制である。

　イギリスは当事国ではないが、出された最低への支持として、文化遺産の保護及び盗取または不法輸出された文化財の返還に関する UNIDROIT の条約への国際的な連帯を喚起した。

　画廊主のファエズ・バラカットは、イランは、大英博物館に所蔵されている全てのペルシアの文化財の返還を要求すべきであると主張し、司法への挑戦のためにマスコミに訴えた。しかしながら、上記の判例は、非合法且つイランの法律の発効日以降同法に違反して国外へ搬出されたペルシアの文化財の返還にのみ関わるものである。

　最後に、文化財の返還請求が国際条約に基づく場合の視点を浮き彫りにする必要がある。一例を挙げると、ドイツのウルムでレオナルダス・ホレにより 1482 年に印刷された、スペイン国立図書館の標章の一つであった宇宙進化論の一部が 2007 年に盗取されたことである。この世界地図は、2 世紀にクラウディオス・プトレマイオスによって作成された。

　同物件が盗取された後、フランスのリヨンに本部を置くインターポールに届け出がなされ、長期に及ぶ大捜査を経て、オーストラリアの画廊に存在が確認された。スペインとオーストラリアの両国が加盟する 1970 年の UNESCO 条約によって、当該物件は 2008 年 2 月にスペインに返還された。捜査はウルグアイ人のセサル・ゴメス＝リベロに行き着いた。彼はスペイン図書館に足繁く通い、2004 年から 2007 年の間に、同館から同等の価値

を有する資料をも盗取していた。

エピローグ

　国際的には、一国の文化遺産と人類の文化遺産との間の区別を巡る議論はまだ続いているが、そこには同様に異なった二つの司法的立場が隠れている。

　まず第一に、「遺産」という用語は「帰属」という用語に結びついている。法制度は、水平的に個人の利害を両立させるだけでなく、垂直的に一般の利害が個人の利害に優先することを目指す。この状況に於いて、対置された利害は社会的緊張を引き起こす。国民の独創性は、時間と共に作り出す文化遺産─ 国の建築家、彫刻家、芸術家、そして美と一体性とに有形の表現を与えてきた全ての創作者の作品─の中に宿っている。そこに、国の歴史の変遷を通じて、国民のアイデンティティが刻み込まれる。不正取引は、普遍的知識を消失させ、次世代へのその継承を困難にするのみならず、社会が、自らをより良く知ると同時に他の諸社会も知るために必要な要素を、社会から剥奪する。

　ポリュビオス（紀元前208年〜紀元前126年）は、著作の『歴史』の第9巻で、祖国の象徴を国民の災難に転化するのは適切ではないと断言した。文化財を原産国または原産共同体に返還することによって、そうした社会の記憶と同一性の一部の流出を止めることが可能になる。また、諸国民間の相互尊重こそが、諸文化間の対話を促進し、最終的には世界史の意味の明確化さを提案することである。

新著『文化の断絶　待ち受ける大いなる挑戦』の出版発表会

　2020年2月25日、国際書籍見本市が開催されていたメキシコ市旧市街にある学術・文化施設のパラシオ・デ・ミネリアの「署名の間」で、『文化の断絶─待ち受ける大いなる挑戦』の出版発表会が執り行われた。同書は、ホルヘ・サンチェス＝コルデロ弁護士が『プロセソ』誌に寄稿してい

たメキシコ及び世界での文化遺産及び文化権に関する評論をまとめたものである。エル・コレヒオ・ナシオナル（メキシコ科学学術芸術振興機関）及びスペインの出版社ティラン・ロ・ブランとの同時出版である同書は、323ページから成り、電子書籍としての購入用にQRコードが記載されている。発表会には、考古学者のエドゥアルド・マトス＝モクテスマ氏、文化人類学者ルルデス・アリスペ氏及び作家のフェリペ・ガリード氏が解説者として登壇し、後者二名の解説の要旨を以下に掲載する。

ルルデス・アリスペ

　書物の中には、思索の本質の中で金鉱を作り出すようなものがあります。しかし、サンチェス＝コルデロ博士の手による本書は更にその先を行くものです。同書には、人類が文化的諸世界で思いを馳せ、作り上げた驚くべき様式での分析の周囲に連結された黄金の存在が理解されています。そうしたあらゆる様式の中で、本書のテーマである文化の断絶に普遍的な意味を与えるためには、かかる断絶を継ぎ合わせて社会的行為に変換させる歴史的な学識と深い法的・政治的知識が不可欠なのです。

　本書の展望は広大です。美術品取引、文化遺産そして現代の要となるテーマ、即ち、我々人類学者が「文化の政治化」と呼んでいる概念の裏側とも表現しうる、サンチェス＝コルデロ博士が「人権の陶冶」と呼んでいる概念に関する国際的司法権の底流及びメキシコの法律の正確な条項について、私は本書から多くを学びました。過去の歴史の中では、この推移の概念化に当たり、以前は、それぞれの専門家集団が、同一の対象を扱う他の学問的領域の専門家とは別々に研究を行うのが正当であったとはいえ、今日では、こうした個別の専門領域を必死に擁護して他とは一線を画して行う研究の姿は、既にその正当性を失っています。人権と自然権は持続可能な手段であり、文化がそれらの権利を掘り起こし、概念を形成する秀逸な領域であるのは明白です。

　思い起こせば、2001年に我々人類学者、考古学者及び哲学者のグループが、無形文化遺産保護のための国際条約のために作成していた規範全文

の初版を提出した折に安堵感を覚えました。その後、UNESCOの加盟国の政府から、当該条約の綿密な条文を作成するために法学者との会合を開催するよう要請が上がることに繋がったのです。会合は、諸文化の壮大な闘ぎ合いでした！　そこでは流血の事態―もちろん知的な流血ですが―に達する程だったのです。正にその時に、法律が持ちうる社会的・政治的インパクトに関して、法学者の方々の手による極めて厳密且つ的確であり、また慎重極まりない作業に私は驚嘆を覚えたのでした。

　　　［略］

　本書『文化の断絶』の持つ多大な重要性は、同書が、文化政策、美術市場及び国際条約を取り巻く環境が現在直面するジレンマを、権力の歴史的枠組みの中に位置付けていることです。ある支配的文化の押しつけを拒絶することは、高度に保護的な法律が着想とその播種の進展にとって決して抑制にならないような文化的民主主義の見地から文化を再定義することを意味します。即ち、再構築が必要である断絶を指しています。一例を挙げれば、1994年にメキシコのチアパス州でのサパティスタ民族解放軍と当時の政府との間で交わされていた激論の場に、前者を支持する女性たちがなだれ込んだ出来事です。女性たちは「私たちは男が女性や子供たちを殴る伝統には懲り懲りしているのです。」と声を挙げたのでした。それこそが、今日もう歯止めをかけることができない運動の始まりになったのですが、メキシコの社会状況の悪化により、性別を理由に女性を標的とした男性による殺人であるフェミ（ニ）サイドが発生する主要国の中にメキシコが連ねている背景があります。そしてこの問題は文化的現象なのです。

　　　［略］

　ここでは、『文化の断絶』が我々読者に対して提示する学術的豊かさの中で、数える程のテーマを取り上げたにすぎません。国連がUNESCOを通じて運営する国際先住民言語10カ年計画が、メキシコで宣言される期日が近づいています。私がUNESCO文化局の副局長に着任したとき、土着先住民言語の保護計画の叩き台は既に私の机の上にありました。今日幕開けを迎える土着先住民文化への認知の10カ年は、何年にも及ぶ政治と外交での戦いの所産です。サンチェス＝コルデロ博士はその側面を鮮やか

なまでに表現しており、本書の中でメキシコに於ける先住民言語の多様性に対する憲法的解決は、文化的多元性を不可分の構成単位として受容することから成ると指摘し、「この点は人権尊重と共に、新たな国家理念を形成した」と付言しました。

フェリペ・ガリード

　教養人は、周囲の物理的及び精神的世界の理解に加えて、この世に誕生した最初の人間が自己の正体と存在理由を自問して以来、続く世代にそうした知識の継承をもたらす本質的に予期せぬ出来事を解得するための情報を所持しています。[略] 教養人は、また、他人とのコミュニケーションが盛んな人物です。日々の現実に対して調和的に適応される意見と態度を世間に発信する中心人物でもあります。

　このように述べたのはフアン＝ホセ・アーレオラであり、著作の『教育の言葉』の中で教養人のパラダイム（ある時代の共通認識）を示しています。個人的にはその考え方に好印象を抱いていますが、文化を日々の生活の中で理解することと同一でないことは明らかです。

　ある民族、ある時代またはある共同体の文化について語る場合、他の人間集団とは区別するアイデンティティを付与する生活様式、諸信条、社会組織、言語について取り上げるものです。

　省庁、組織、計画、研究所、工房、委員会、文化センター等に見られるように、文化は、集団、オーケストラ、講座、学校、美術館及び博物館、劇場、画廊、公会堂、上映、フォーラム、図書館などの運営並びに政治的・商業的開拓を意味します。

　それこそが文化なのです。諸生活様式であり、公共を中心とする管理領域で、芸術そのものに対して以上に、芸術産業、興行、そして急激に拡大しつつあるこうした素材の電子版の制作普及に関わるものです。

　これが、ホルヘ・サンチェス＝コルデロが『プロセソ』誌に寄稿した37編の評論の視点であり、『文化の断絶―待ち受ける大いなる挑戦』の表題の下で書籍としてまとめたものを本日私たちが紹介しているのです。これらの評論は、文化の取引に関わる具体的で、歴史的且つ実際の法的闘争

の37件に上る事例を検証しています。

　　　［略］

　エリート支配層にとっての最重要事項は、多様な民族ではなく国民国家としての統一と繁栄にとって必要な文化的均質性を保持することなのです。コロンビアやパナマを始めラテンアメリカで広がっている現象は、不可分性と国の結束の見解であり、全市民の法律の前の正式な平等という考えなのです。

　最も重要なのは、国家の分断が、領土的な減少をもたらし諸民族の自治を助長する可能性を是が非でも回避する方法を模索しつつ、国民国家の独立と統一を正当化することです。

　エリート支配層は、先住民族の利害擁護の義務を常に怠ってきました。

　政府の公式声明やまた法制に於いて多文化主義が承認されるかもしれませんが、多民族社会の社会的安定というより大きい政治目標に必ずや縛られていることでしょう。こうした状況は正当なのでしょうか。エリート支配層の視点に立てばそうでしょう。もちろん、多様な先住民族の利害は彼らの眼中にないのです。

　メキシコの場合、サパティスタ民族解放軍の蜂起とメキシコの国内法を北米自由貿易協定（NAFTA）に適合させた後に、先住民共同体の自治の許容範囲はかなり狭まりました。

　サンチェス＝コルデロの最初の評論はここまで触れています。ですから、その先は私が付け加えさせて頂きますが、メキシコ―そして全ての多民族国家―では、先住民共同体は認知、似非の尊敬、民俗儀式に虚しいレトリックを供給することに役立ちますが、そのいずれも、本来同共同体に相当すると言える国家に連なる方向にはないのです。

　本書を読み進んで行くうちにより明確になって行きますが、最重要貿易相手国である米国と国内のエリート支配層に対するメキシコの自立の許容範囲は、最初の条約であるNAFTAの調印後のカルロス・サリーナス政権時に比べて、現メキシコ政府の関心の悍ましいほどの欠如、交渉力のなさと弱さの結果、減少の一途を辿ってきました。実際のところ、米国とカナダとの新規の通商条約は本書の出版後に調印されましたが、サンチェス

＝コルデロ博士が既に『プロセソ』で指摘していたように、状況の悪化は本書が詳らかにする以上に深刻です。我が国の文化産業、とりわけサイバネティクス産業は法的保護を欠いており、今後の悪化が予想される状況です。より良い未来を迎えるための鍵となる教育の分野で、何らの向上も期待できない現状に鮮明に現れているのです。

芸術の諸自由の衝突

メキシコ連邦最高裁判所判事

アルベルト・ペレス＝ダヤンニ

　芸術の自由を巡る昨今の特異な論争の一つは、「12秒対18年」として知られるものである。その主役を演じたのは、ドイツの人気電子音楽グループのクラフトワーク（クラフトヴェルク：Kraftwerk）であり、論争の経緯はよく知られている。1977年、ドイツのレコード会社の Pelham GmbH（Pelham、ペラム）が、ヘヴィメタルの旋律の打楽器のリズムから音のサンプル─サウンドエンジニアリングの俗語で言うサンプリング（échantillonnage）─を採取し、それに若干の修正を加えて、ドイツのラッパーで作曲家のサブリナ・セトルのレパートリーに含まれるバラード曲の ”Nur mir” に組み込んだことに端を発する。

　クラフトワークはヘヴィーメタルの再生の独占権を有している。バンドのメンバーのラルフ・ヒュッターとフローリアン・シュナイダー＝エスレーベンは、モーゼス・ペラムに対して、当該楽曲から2秒間の旋律を事前の許可も所定のロイヤルティの支払いもなく無断利用したことで訴訟を起こした。レコード会社は、ラップでのサンプリングについて、録音の際の繋ぎとしての使用は日常茶飯事であると答弁で申し立てた。

　こうして、ドイツの司法権全体で苦渋の長丁場の訴訟の幕開けとなり、最終的には憲法裁判所に辿り着いた。しかしながら、論争は司法的抑制の厳密な限界を超えるものであった。そこでの国家側の弁護人のフーベルト・ワイスは、著作権の所有者の理財的利益よりも芸術の自由を擁護する

一方で、ヒュッターは「十戒」を引き合いに出して、「汝、盗むことなかれ」という聖書の格言は、芸術家にも適用されるべきだと述べた。

　憲法裁判所は、ペラムの主張を支持する判決を出した。ペラムの芸術的創造の答弁に於いて、同裁判所の主張は、標本調査は、とりわけラップ音楽の作曲では正当な作業であり、新たな創作では、原曲から採取したサンプリングとは直接的に競合するものではなく、従って何らの財産への損害を意味しないというものであった。

　審議はドイツ国内で終了しなかった。クラフトワークは、欧州司法裁判所（英語の略語でCJEU）に訴えに出た。問題点が孕んでいた重要性は低いものではなかった。音楽業界で途轍もない反響があったからである。作曲者の独占的な権利の正当性を楽曲の要約の全ての種類と継続時間に拡大することは、これらの要約が僅少なものであっても、近代音楽の生産という状況の中では克服し難い挑戦を提起することとも言え、ましてやラップ音楽にとっては尚更のことである。

　欧州司法裁判所の結論は、録音物の独占権を極端な方向に持って行き、それを広範に保護することは、その要約がどんなに短いものであったとしても、全ての音楽製作での根本的な変質をもたらすことにもなりかねない、そしてそれに加えて、当該サンプリングが識別可能な性質を欠いているというものであった。

　既にCJUEでは、法務官のカルム・ブライアントの冒頭陳述は正統派の答弁であった。録音の再生を容認または禁止する正当性を有する者の事前の同意なしのサンプリングの使用は、2秒間と雖も、録音物に関する権利に違反する可能性がありうると主張した。しかしながら、CJUEは、2019年7月30日の判決で、ブライアントの見解を退けて、芸術の自由を根本的な権利として擁護した。

その他の判例

　現代音楽は芸術的創造に新たな挑戦を提起する。

　2016年5月、ラッパーのカニエ・ウエストとSony/ATV Musical LLCは、マンハッタンのニューヨーク南部地区連邦地方裁判所のルイス＝A・

カプラン連邦判事の前に、ハンガリーの現代芸術家のガボール・プレッサーによって訴えられた。カニエは、"Yeezus" という題名のアルバムを録音しており、そこにはフランク・オーシャンズの歌う "New Slaves" という楽曲が含まれていた。大ヒットとなった同曲は、米国のアフリカ系アメリカ人が苦しんでいる奴隷制、人種隔離と人種差別に関する抒情詩的提案をしたものである。

　論争の中心は、40 秒の長さである楽曲のコーダにあった。プレッサーの申し立てによると、オメガというバンドのメンバーであった 1969 年にプレッサーが作曲した "Gyongyhaju Lany" のサンプリングをしていたことにあった。訴訟は、プレッサーへ賠償することで終結した。

　同様の内容であるが、ミツーという芸名のハンガリーの女性歌手のモニカ・ユハース＝ミズラは、やはりマンハッタンのニューヨーク南部地区連邦裁判所のシンシア・カーン連邦判事の前に、ビヨンセとジェイ・Ｚのデュオが、高度な官能性の動きに合わせた女性の性愛をテーマにしたビヨンセの大ヒットの楽曲の一つに、自分の楽曲の "Bajba, Bajba Pelem" の 1 分半のサンプリングが使われていたことで、同デュオを訴えた。

　連邦判事は 2016 年 12 月に訴えを棄却した。判決の論拠は、芸術的創造の輪郭を決定することから、極めて重要な意義を有する。そして、アメリカ合衆国憲法修正第 1 条と調和したニューヨーク州の人権法は、厳密に商業的な目的を有する名称、人物像または音声の使用を人権侵害と規定すると宣告した。この保護は、しかしながら、芸術的創造には適用されていない。

ヒップホップ文化

　こうした論争を状況に位置付けて理解するためには、ヒップホップの芸術的創造のプロセスの一般的な見地に留意する必要がある。ヒップホップというジャンルの表現の多くが、オルタナティブ・カルチャーまたは反体制文化の領域で活発に展開されているので、この側面は深い考察に値する。

　この文化運動の発祥は確かではない。ニューヨークのハーレム区とブロ

ンクス区の路上パーティーとする見方がある。当初は、都市の暴力と貧困への抗議を文字にして示した反体制的方向性があった。

　ヒップホップでは、ラップ音楽の主役たちの概念的な確定に関する相違が著しい。定義も参加者も数が多く、急増していくに連れて、多くの場合、控え目に言っても、ただ単に多様だけではなく排他的でもある特質が加わった。

　上記のことは驚くべきことではない。ヒップホップは変化を絶やさないからである。ヒップホップを文化運動と捉える向きがある一方で、ラップはリズムであるとする見方もある。この点に於いて必ず際立った存在となるのは DJ（ディスクジョッキー）であり、ラップ音楽固有のターンテーブル由来の用語であるターンタブリズムを通じて様々な音楽バンドが折り合わせて作るミキシング装置を作り出す。このジャンルの創造性は、種類の異なるサウンド間で、別の楽曲からのサンプリングを組み合わせるスクラッチを通じて発揮する DJ の能力次第である。

　この装置は MC（マスター・オブ・セレモニーまたはマイクロフォン・コントローラー）の基本的なスタンスであり、MC の役目は、観客の期待を維持することである。場面にはソウル、ファンクやその他ラテンのリズムの影響を受けたこの音楽のジャンルを歌う正真正銘のアーティストであるラッパーも登場する。MC はラッパーを兼ねることもあるが、その逆はあまりない。

　このリズムに b-boying（ブレークダンスとして広まった）が加わり、そこではダンサーたちが音楽に合わせて回転したり、時にはアクロバティックな動きや、重力と平衡に挑むように背中や頭で回転する熱狂的でランダムな身体の動きを披露する。

　同様な文化的傾向はグラフィックな表現の中にも見られ、グラフィティがその一例であり、都市空間に異なった様相を与えるものであった。ストリートアートの当初の推進者の中で中心的役割を果たしたのは、米国のフランク＝シェパード・フェアリー（1970 年）であり、都市での絵文字運動として最も成功した OBEY クロージングの創設者である。その人気の高

さは、バラク・オバマが大統領選挙戦で、シェパードの「希望」というポスターを採用したことに明確に示されていた。

この絵文字による表現の動向では、イギリスのブランスキーやフランスのスペース・インベーダーのような都市芸術家も有名であり、両者とも匿名での活動を展開してきているが、匿名性を守るために、稀にインタビューに応じる際には仮面着装やピクセルでの表示を利用している。

エピローグ

芸術の自由が歴史の中で一貫して被ってきた嫌がらせは、今後も継続するであろうとする予測は自明である。とはいえ、問題を分析してみると、芸術の様々な利害が対置されている状況ではより複雑な様相を呈していることがわかる。このジレンマの中で、芸術の自由と科学の自由の優先が模索されてきた。

芸術の自由は、経済的、社会的及び文化的権利に関する国際規約（第19条2項）に完全に展開されてきた。メキシコも締約国であるこの規約は、口頭であれ印刷されたものであれ、芸術的またはその他のいかなる方法でもあれ、あらゆる種類の着想情報を模索、受領及び拡散させる自由を表現の自由と想定している。

欧州人権裁判所及び米州人権裁判所の判例が繰り返されているが、問題の核心を十分に照らしていない以上、不毛な潮流と化している。その結果、人権の本質に関わる芸術の諸自由の衝突を巡る疑問は存続している。

芸術の荒廃

　　　　恐れなければならない唯一のものは恐れそれ自体である。
100年後に、私の政権は、社会的緩和ではなく芸術政策によって人々の記憶に止めておかれるであろう。

フランクリン D. ・ルーズベルト

大恐慌の真っ只中の1932年に、既に多作の芸術家であったディエゴ・

リベラは、ニューヨーク、マンハッタンのロックフェラーセンター複合施設内の Radio Corporation of America（RCA）社の商業ビルでの巨大な壁画の作成の契約を交わした。

リベラがマルクス主義思想の持ち主であったことは広く知られていたので、資本主義の最も象徴的な建物の一つで壁画制作のためにリベラと契約する決定を下したとき、ロックフェラーセンターは状況については余すことなく把握していた。芸術プロジェクトにつけた注釈は冗長であった。不安を覚えながらも、期待と新しいより良い未来の追求を選ぶための高潔な構想を携えた、十字路に立っている人物を表していた。この作品に別の解釈を施した作品は、「宇宙の支配者たる人物」の題名で、現在メキシコ市のメキシコ国立芸術院に展示されている。

リベラは、壁画の叙述を和らげるようロックフェラーからの度重なる諫めがあったにも拘らず、怖気付くどころか挑発的な態度で、ロシア革命の主導者の一人であったウラジーミル・レーニンを作中に含めた。この表現は無礼が頂点を極めたとして評価された。

話はよく知られている。1934年2月のある晩、壁画は、ロックフェラー家の命令で、何らの警告もなく密かに破壊された。そこに表明された非理性的なアポリアは、あらゆる知性を侮辱するものであった。壁画の破壊は、建物の構造のメインテナンスが緊急に必要であったためと主張した。スキャンダルの発生は不可避であった。随所で抗議が巻き起こった。壁画が消滅したことでこうした抗議の声明が消え去るには程遠く、在米国のリベラの他の作品の行く先は、リベラの作品のメッセージには無関心であったか、または敵意を抱いていた人々の間でさえより大きな関心事となった。

「ニューディール」

ニューヨーク州知事（1928年～1932年）として、フランクリン D.・ルーズベルトは、上述のメキシコ人画家の物議を醸した壁画の記録を知っていた。また、大統領として、極めて高い社会的な感受性を有する壁画の破壊について、一般大衆とのコミュニケーションの手段としてのこの種の作品

の重要性を判断した。

　この社会文化・政治的状況の中で、ルーズベルトの学友である壁画家のジョージ・ビドル（1885 年～ 1973 年）は、大統領に多くの芸術家に職を与えるよう説得した。1933 年 12 月、米国政府は、財務省内に公共事業芸術プロジェクト（英語の略語で PWAP）を創設し、芸術家のエドワード・ブルースがその指導・監督に当たり、わずか半年という存続期間にも拘らず大成功を収めた。

　その時期の象徴的な壁画は枚挙に遑がない。1933 年にラルフ・スタックポール、バーナード・ザクハイムのようなカリフォルニア州のサンフランシスコ・アート・インスティテュートの教授や学生の作品であるサンフランシスコのテレグラフ地区のコイトタワーの壁画が、その一例である。この作品には、ニューヨークのリベラの壁画への襲撃に対する抗議が明確に示されている。

　・コイトタワーの壁画は更に多くの作品と関連付けられた。エイムズに所在するアイオワ州立大学の図書館にグラント・ウッド（1842 年～ 1942 年）がデザインした壁画や、リベラの弟子で助手でもあったベン・シャーン（1898 年～ 1969 年）の手による、ブロンクス郵便・社会保障局別館に展示されている「リベット工」があり、米国での禁止の時代を暗示している。リベラは、PWAP を活気づける要因となった、多大な影響力を有する真にメキシコ的な絵画運動である壁画運動を啓発する芸術家にとっての原動力となっていた。

　PWAP は壁画を後援しただけではなかった。1934 年に、ポール・カドムス（1904 年～ 1999 年）の作品である「艦隊入港」が、ワシントンのコーコラン美術館で展示され、軍人と女性の放蕩という文脈の中で描かれた大胆な煽情的な叙述のために問題作となった。

　ブルースは、財務省管轄下の「国家救済芸術プロジェクト」（英語の略語で TRAP）責任者でもあったが、同プロジェクトはより選択的で、連邦政府系の建物の美化が目的であった。

　1935 年 4 月、最も重要な 5 件のイニシアチブの一つは、PWAP の後を引き継いだ「連邦美術計画」（英語の略語で FAP）であったが、統括したの

はエドガー＝ホルガー＝ケイヒル（1887年〜1960年）で、ニューヨークの近代美術館（MoMA）の展示責任者であった。

　割愛できない逸話がある。ケイヒルは、1934年にロックフェラーセンターで、初のニューヨーク市美術展を開催したが、リベラの壁画の撤去とリベラと連帯していた芸術家への威嚇と時を同じくした。

　ケイヒルは、20世紀前半の米国で最も権威ある哲学者であるジョン・デューイ（1859年〜1952年）のプラグマティズムによって強く影響を受けていて、ニューヨークのハーレム地区やシカゴの南部のような都市のスラム街に定住するアフリカ系アメリカ人をこの計画に取り込んだ。先住民族とラテン系アメリカ人も取り込まれた。

　この計画は、現在の人文科学のための全米基金、即ち1965年に全米人文科学財団によって創設された全米人文基金（NEA）と全米科学基金（NEH）の前身である。

　FAPが音楽、演劇、文学及び視覚芸術に関するプログラムを含んでいたことから、同計画の開始は、所謂米国のルネッサンスの幕開けとなった。1940年には、100ヶ所以上の連邦政府系の芸術公民館及び画廊が創設されていて、1943年まで活動を続けることになっていた。それらは、芸術科目を開講し展示を奨励して、大衆の手の届くものにするのに相応しい公的空間であった。

　この運動は、米国の芸術への魅力の拡大を可能にしただけでなく、芸術家にとって実質的な雇用源をも作り出した。芸術（1904年〜1997年）家の活動は大々的であった。FAPには、壁画では抽象画家のバーゴイン・ディラー（1906年〜1965年）、彫刻ではジローラモ・ピコリ（1902年〜1971年）、グラフィックアートではエルネスト・リムバッハとグスターフ・フォン＝グロシュヴィッツ、そして教育ではアレクサンダー・スタベニス（1901年〜1960年）が結集した。

　FAPの成功はあらゆる予測を超えるものとなり、その後援の下で、20万点以上の油絵、壁画、彫刻、エッチング、版画と素描が制作された（Teta Collins and Lonnie Dunbier）。

　PWAP の最も顕著な側面の一つは、ステュアート・デイヴィス（1892年〜1964年）、ダビッド・アルファロ＝シケイロスの弟子のジャクソン・ポロック（1912年〜1956年）、ウイリアム・グロッパー（1897年〜1977年）、ウイレム・デ＝クーニング及びアーシル・ゴーキー（1904年〜1948年）のような芸術家を中心に、正に壁画運動の推進を図ったことである。

デジタル時代

　ニューディールと現代のデジタル時代は、控え目に言っても劇的に異なる。デジタル技術は、文化に関する公共政策の連結で前例のない変容を引き起こした。とは言え、パンデミックと大恐慌による予防のための外出制限は、文化の担い手のプレカリゼーション（現代社会で特有な不安定さ）と一つの共通点があるものの、従前の解決策をデジタル時代に移し替えなければならないということを意味するのではない。

　この現象には、デジタルプラットフォームで芸術的表現をデザインし直すことが急務である状況が加わる。そのことは、技術的に最低の生存条件を作り出すために重大な挑戦だけでなく、新たな設計の表現を収益化することによって、存続のための最低条件を作り出すための途方もない困難を提起する。

　実際には、この問題に関するあらゆる分析は、新型コロナウイルスのパンデミックを前にして、社会的な外出制限によって一層拍車がかかるデジタル経済の到来という一つの現実から出発すべきである。

　今や、メキシコの新たな創造者たちは、国を彩る多様性の一部を成すものであるが、文化的価値の連鎖の主役である。だからこそ、公共政策の立案に於いて、双方向性と協力を意味するような方法論へのアクセスを持つ必要がある。また、視覚芸術の基盤は激しく掻き乱されてきたことも既に明白になっている。更には、その諸価値は、近代・現代芸術で支配的であった諸価値とは本質的に異質である。現代の表現を用いれば、古典芸術、近代芸術及び現代芸術は位置情報が完璧に取得されていた。即ち、芸術作品は博物館に収蔵されていて、画廊やオークションで取引されていた。

今やデジタル芸術は無形であり、その拡散普及は無制限に自由である。対話型の表現であることから、観客や参加者が、過去の作品にも現在の作品にも魅了されることが可能になる。これは重要な変化である。

　明白なことを敢えて言えば、芸術家の根本的な機能は様々な感性の表現を創出することである。今日、デジタル技術によって芸術家はそうした表現を最大限に引き出し、無数の作品を開発することができる。創作的な独自性（特異性）を失うとしても、変形は聴衆に応じて多数になる。創造力の概念自体は、AIがクリエーター本人の想像力を超える芸術作品を生み出せることから、その無制限の可能性を前に再検討の最中にある。

　切迫する経済不況が引き起こす挑戦は計り知れない。国内の文化の担い手が、常に対応を余儀なくされている状況がある。文化的価値の連鎖の極めて深遠な変容と、新たな担い手が不断に参入していることだが、そこにはT-MECという、完全自由な経済体制が、かかる新規参入者を本質的に機会と力量の点で非対称的な競争に晒すという仕組みの発効が切迫していることである。

　文化的価値の連鎖は、創出、制作、流通拡散及び入手という四段階から構成される。伝統モデルは、各担い手が特定の機能を果たしていた一定方向の線状の構造を是としていた。しかしながらデジタルの時代はこのモデルを分解してしまい、一つのネットワークにしてしまった。

　同様に、現状では、文化の担い手が成功する高い可能性を伴い、デジタルエコシステムへの参加が可能になるための不可欠な知識である新技術の利用に係る事柄を中心に、芸術家及びその他の文化の専門家を対象とする養成教育計画の導入を要求されている。

　この新しいネットワークの珍しさの一つは、「スタートアップ」と呼ばれる、文化の消費者の特定可能の基本的ニーズへの最初の回答である最低限の範囲を有する情報製品である。そのプロセスは、非常に創造的であることで際立っており、刷新的な解決策をもたらすものとして、芸術、デザイン、ソフトウエアと技術の間につながりが共存する新しい参加型モデルの拡大を要求している。

　社会的な外出制限という現状は、デジタル文化の担い手は、従来型の担い手よりも存亡への備えと立ち位置の点で恵まれている一方、後者は、芸術的認知が、依然として伝統的道筋と密接に関わっているという以前の様式への逆戻りを強いられていることを明らかにした。しかしながら強調すべきは、伝統的な企業インフラとモデルだけではなく、もはや時代遅れになった作業の規則自体をも近代化するよう要求することである。

　デジタル経済に於いては、文化的表現の制作は、市民社会に属する文化関係の零細企業と業界に対して、IT を盛り込むことを要求している。

　ラテンアメリカではそうした例は増加を辿った。一例を挙げれば、コロンビアの IT 関係のイニシアチブである "Crea Digital" であり、「人々のためのデジタル生活」計画の中に位置付けられている。この計画の戦略は、ネットワークへの接続性の市場での需要と供給を活発にするデジタルエコシステムを構築することである。"Crea Digital" の方は、商業的潜在力を有する文化に関するデジタルコンテンツの制作のための公募の受け皿となった。目的とする所は、実現可能で上質な提案を展開させることである。

　"Crea Digital" のような計画の本質は、デジタルの領域での文化的表現の促進である。そのために、創造産業、特に中小零細企業の制作工程への技術の取り入れが不可欠である。

　随伴的なことだが、新規の融資形態の調査は、情報のクリエータ、とりわけ上述の文化的表現の普及（拡散）にとって有用であるようなイニシアティブまたは製品の研究開発能力のコンクールと認知を要求する。

エピローグ

　エレノア・ルーズベルトは、夫フランクリンの愛読書が、マーク・トウェインの『アーサー王宮廷のコネチカット・ヤンキー』であったとかつて語ったことがある。その作品の中で著者は、米国社会を激烈に批判し、ニューディールの予兆を提起した。この原型に対して、ルーズベルトは同じ名称である野心的なイニシアティブで応えたのである。

ニューディールの根本的な部分の一つは FAP であり、芸術家有働の分野で 20 世紀の大プロジェクトの一つとして制定された。その膨大な創造的潜在力に加えて、芸術家の共同体を貧窮から救い出し、文化の担い手の失業を軽減し、米国の芸術発展の基礎を築いた。しかしながら、壁画運動は社会的コミュニケーションの形式として、歴史の神秘であり続けた。

　今や、デジタルエコシステムは、コンバージェノミクス（収斂ゲノミクス）として知られる現象を育んでいる。それは経済の現在の特徴の一つであり、一つの単位の中に別の製品に含まれている諸特徴が組み合わさっている製品である、コンバージェンス製品が次第に持続的になる状況がある。情報関係用語では、「スマートフォン」が例証するように、一つの単位に一つ以上のデジタルプラットフォームを集中させる製品である。

　こうした前提に基づき、真価を証明するまでもないメキシコの文化的人材の保護の提案を連結することは可能と言えよう。切迫する経済危機を前に、芸術活動は近い将来、存続をかけた挑戦に立ち向かうことになる。

Ⅶ. 偉才たち

フリオ・シェレール＝ガルシアとヘイトスピーチのジレンマ

　ダニエル・フェレは、ベルギーでネオファシスト傾向の極右政党である国民戦線の指導者である。2001 年に同国下院で代議員に選出された。フェレが選挙戦で使用した表現は、暴力と憎悪を低俗に煽るものであった。そのため、2002 年 7 月に議員特権を剥奪され、2006 年 4 月に、10 年間の公民権停止と在住外国人救護団体での 250 時間に及ぶ社会奉仕活動の判決を言い渡された。

　表現の自由が侵害されたとして、フェレは欧州人権裁判所（ECHR）に控訴したが、同裁判所は控訴を棄却し、政治的罵言と人種差別的表現は、損傷の可能性という繋がりがあるとする判断を下した。そして、政治的主体は、社会平和の状況とは相容れないそして民主組織の崩壊という主要な結果を導くと指摘した屈辱的な毒舌を自粛すべきであると同判決は付言した。

　ECHR は同じ内容で、ネオナチのイデオロギーの流布とその傾向が散見する活動の実施を禁止するオーストリアの法令に関して、この教義は全体主義的であるため、民主的諸価値とは両立しないとする論拠に基づき、同法令を有効とみなした（H. P. and K. v. Austria）。

　米国の連邦最高裁判所は、その対極で、ネオナチの表現を禁止しているイリノイ州スコーキー村の条例を表現の自由にとって有害であるとみなすことで、同条例が憲法違反であると判定した。

　米国の判例は、この保証が同国の民主制度の根幹を成すものと判断する以上、同保証の優先を繰り返し行ってきた。最高裁にとっては、その権利

は憲法による保護の推定を一貫して享受している（National Socialist Party of America et al. V. Village of Skokie）。

　類似の事例の中で、司法判断は異なった論拠の下で大きく分かれていたが、表現の自由に関しては一致していた。とは言え、表現の自由を結果的に明示したのは正しく裁判例であった。

　メキシコに於ける表現の自由に関する象徴的な存在の一人であるフリオ・シェレール＝ガルシアの思想は、この議論を一層深めて行くものである。

ジレンマ

　排外主義的行動は、最近の国際環境の中で憎悪（激しい敵意）と共に出現して来たが、その特色の一つは所謂ヘイトスピーチである。そこでは、表現の自由とヘイトスピーチの許容度の間に存在する緊張関係が露呈する。この点こそが分析を集中させるべき場所である。上記の緊張関係は、人権に関する叙述に共在する圧力（ストレス）を現実に検証する結果となる。挑戦すべきは、ヘイトスピーチがその他の権利の行使を妨害しないようにさせ、また、暴力、罵詈や嘲弄から殺人を含む身体攻撃までの行為を挑発しかねない損害の出現を防止することである。

　ヘイトスピーチは、脆弱な集団に、市民として心神耗弱の感覚を発生させる目的で、信頼性の欠如と価値の欠如を植え付ける。人間の尊厳に対するこの攻撃によって、屈辱と排除を正当化するために脆弱性の感情の助長をも目論む（Jeremy Waldron）。

　ヘイトスピーチに対する論争では、話者の意図、表現の強烈さ及びインパクトの重大性を必ず特定しなければない。同様に、当該表現は、特定なのか間接的なのか、嘲弄的なのかあからさまなのか、単発的なのか反復的なのか、権力、権威または特定の集団による支援があるかどうかについて識別する必要がある。犠牲者へのインパクトの程度は、これらの様式によって変化する。

　これらの損害は物理的危害を及ぼすばかりでなく、自尊心を傷つけ、恐怖心を引き起こし、社会行動を抑制する可能性がある。そしてそのこと

は、民事上の責任と心理的な傷の回復の効果的なシステムを構築する上で深刻な問題を提起する。それどころか、告発対象は、今や個人の行動から集団的行動にシフトしている。

　ヘイトスピーチの拡散にとっては打って付けの手段であるインターネットは、状況をより複雑にするが、プロバイダー（英語の略語で ISP）が、より寛容な法律によってヘイトスピーチに避難所を提供する管轄区域を求めると、その傾向は一層強まる。更に、匿名と筆名の使用及び検閲のリスクがある。

　挑戦すべきは、ヘイトスピーチが、集団的アイデンティティを支え、個人間の繋がりを調整する操作上の公共的価値を妨害しないようにすることである。これらの価値は―尊厳、無差別、平等、公共空間への効果的参加そして表現の自由そのもの―社会的共同体または集団に一貫性と安定性を与えている。

　この叙述を発展させる上で、全体論的ではあるが、ジェンダー、人種、宗教や肌の色、そして国籍または種族的出身のような所謂保護された特徴を識別するような特定の相違がある性格に留意する必要がある。

裁判権

　明白なことから始めると、表現の自由は平等を伝達するものであるから、全ての民主的社会に於いて根本的であり、その制限は人種、宗教、ジェンダーまたは性的指向の動機に起因するが、国家安全保障、領土の保全と公安に特有の義務と責任の枠組みの中に含めるべきである。そこにはまた、無秩序と犯罪の防止に言及し、公衆衛生と他者の名声に留意し、機密情報の流布防止を求め、法制度の不偏に努めるという動機も加わる。

　民主主義の行使自体は、政府または住民のいくつかの部門を動揺させうる全ての表明行為に対して表現の自由を拡大する。無愛想で粗暴で乱暴な言葉使いは、様々な視点間での不一致と対立を必然的に伴う多元的な論争で頻発する（Handyside vs. United Kingdom）。従って、立憲民主体制は合法的な政治的内容を保護するが、暴力の賛美や暴力の遂行のあからさまな意

図を保護するのではない（Surek vs. Turquía）。

　表現の自由とヘイトスピーチの許容度の間のジレンマがより明確に認識される民族的・文化的に激しく対立する地域が存在する。旧ユーゴスラビア国際刑事裁判所の諸判例は、かかる事例を構成する。同法廷は、ヘイトスピーチは、正確には、生命、自由または身体に対する権利に対する犯罪を単独で意味するのではなく、殺害や身体的な侮辱でもないことを考慮した。そうしたことが発生するには他者の賛同が必要であるという判断があった（Prosecutor v. Kordiü）。

　他の判例を見てみると、ルワンダ国際刑事裁判所は、民族的な相違またはその他社会的排除の理由で住民に対して暴力を煽るヘイトスピーチは、安全保障の権利に違反し、そのため現状の差別を作り出していると結論づけた（Nahimana et al., case. ICTR-99-52）。

　この非常に重要なテーマの持つ別の側面はジャーナリズムの独立の強化であり、それは、正しい民主主義の機能にとって不可欠となる。このように、ジャーナリストは、インタビュー実施時に排外的または人種差別的議論に明確に反論しないもしくはそこから一線を画さないような場合でさえ、自己の表現の自由の権利を享受する（Jersild v. Denmark）。

　言論の出所（誰の発言であるか）も重要である。つまり、学識者、とりわけ教師の言葉遣いは憎悪を助長すべきではない。一例を挙げよう。フランスがイスラム教の暴徒たちによって侵略されている内容の評論を発表したフランス人教授に科された懲戒処分は適正であり、表現の自由を侵害しなかった（Seurot v. France）。

　過激派集団は宗教集団と提携してテロ行為に及ぶことが少なくない。それによって寛容、社会平和と無差別の原則を、表現の自由に違反することなく弱体化する。ある残念な事実の中で、極右政党のイギリス国民党は、党本部の建物に、ニューヨークの同時多発テロを、イギリス国民を保護するためにイスラム教の根絶を声高に謳うスローガンと結びつける趣旨の壁画を掲げた。ECHRでの口頭弁論では表現の自由に訴えたが奏功しなかった（Norwood v. United Kingdom）。

学 会

　表現の自由とヘイトスピーチの許容度の間のジレンマの解決に関する概念の偏在は、政治的及び法的な叙述に於いて支配的である。拷問、差別、労働争議の場合並びにプライバシーの侵害及び表現・思想の自由の侵害の場合のように、その概念が法律論争で絶えず引き合いに出されることは、そうした領域での重要さと優れた多用途性を示すことに他ならない。

　同時に、表現の自由という概念の活力は計り知れないほどの人間的価値を与え、非常に明確な社会的任務を必ずや伴う。つまり、全ての社会は、個人的次元であれ集団的次元であれ、表現の自由が人間の尊厳の強化に繋がるという唯一の事実によって、全ての人に対して、この価値を最大限に広げる必要がある。しかしながら、人間の尊厳は、変幻自在で多義な曖昧な意味を有することを認める必要がある。従って、多様な定義があるその意味を明確化しようとするよりも、存在する様々な機能を強調して、社会的に運用可能な概念に変換する方が妥当である。

　表現の自由が重要な環境があるとしたら大学のキャンパスを挙げられるように、学会の見解は分かれている状態である。演説者に沈黙を強いる企てが激しく噴出して、あらゆる対話の芽を摘む状況は正に大学の構内で発生していることを看過してならない。かかる状況下では、度を越した言葉使いと侮辱的な言葉使いの相違、中傷と名誉毀損の間の相違は曖昧になる。その関連で、スタンフォード大学名誉教授のトーマス C．グレーによりなされた区分は重要である。そこでは、違反があるためには、侮辱や烙印は保護された特徴に言及し、直接的であり、とりわけ社会的平和を揺さぶるものでなければならないとする。

エピローグ

　ヘイトスピーチの制圧は教育を通じてという考えが提唱されてきた。しかしながら、民主制度または礼節の習慣の維持にとって必要な原則を教え込むことは、小学校低学年時に国家が果たす機能であるため、その提案は十分ではない。このことは国家の教育的使命に他ならない。

　唯一実現可能な教え込みは、平等の価値のような特殊な価値であって、

礼節のような一般的な諸価値や更には民主主義にとって不可欠な諸価値を反芻することではない。

　ヘイトスピーチを禁止または制限する全ての法律は幻影に過ぎない。諸権利の実用性と効率というテーゼに反するのである。この意味であらゆる法律は、侮辱を避けようとする結果をもたらさないであろう。明確化は必須である。ヘイトスピーチの法的な禁止と社会的な反対とには明確な相違が存在する。

　文化の振興は、ヘイトスピーチの払拭に相応しい手段である。社会的主体に義務と責任に関する自覚を促すことが出来るのは、制限的手段よりは振興的手段を通じてである。反芻する必要のあるプロセスとして、表現の自由は、人間の真正性、才能、創造性と個性を高め、繁栄を育む。ドンフリオはその信念を告白していたのである。危害の原理は、表現の自由が他の諸権利の行使の妨害になることを避けるよう社会的主体に喚起する。

　結論は反論の余地がない。諸政府は、民族的・人種的または宗教的に特定されるマイノリティーを優遇または差別するときには、所謂文化的アイデンティティのために特権の永続化を正当化するための言い逃れとして行うのである。

ミゲル・レオン＝ポルティージャと時の審判

　1882 年 3 月にソルボンヌ大学で行い、5 年後に『国民とは何か』という表題で内容が出版された講演の中で、エルネスト・ルナンは、今日まで脈々と続いているこの問題に回答を与えた。

　ルナンは、国民とは主として以下の二つの要素から成る精神的な土台によって形成される意識であると主張した。一つ目は英雄的な過去の中に位置づけられ、文化遺産と祖先崇拝が支配的な要素である。国民を正当化するのはこの要素に他ならない。

　国民は、諸個人と同様に、歴史を織り成す成功と失敗、犠牲と勇敢さ、武勲と敗北の所産である。目覚ましいことは、社会がこの盛衰の要約を感

じ取る形式である。つまり、諸国民は、それぞれの過去を集合的に記憶に留める方法によって区別されるのである。

　二つ目の要素は現在が舞台となり、基本的諸価値の周囲に糾合し、現在アイデンティティを構築する共通の英雄的行為によって構成されている。これら二つの要素の中に、ミゲル・レオン＝ポルティージャの著作の根幹が包摂される。

　エドゥアルド・マトス＝モクテスマ、ルイス・ビジョロのような著名なメキシコ人学識者の世代に属するレオン＝ポルティージャは、先住民のナワ族社会の偉業、征服、文学と哲学のような非常に多岐に亘る側面で、その先住民の社会の壮大さを回復することができた。そしてそれによって我々の祖先の偉大さの回復を可能にした。

　権力構造由来の指導者と組織に関する歴史的叙述に敬意を表する以上に、レオン・ポルティージャの著作は、社会構成にその関心を集中し、ナワ族の社会制度が宗教、文化等多数の側面に亘ってどのように機能していたかを解明する。そうした側面では、環境の表象がいかに社会の現実を構成しているかが観察される。従って、レオン・ポルティージャの著作は、一つの文化史の概念に対応することになる。

　西洋の伝統についての膨大な知識が染みついたレオン・ポルティージャではあるが、そこから離脱し、ナワ族のメキシコの構成要素と功績を浮き彫りにすることができた。そのためにはナワトル語の習得は不可欠となったが、レオン・ポルティージャは、言語はある文明の持つ文化的基準を反映することを自覚していた。そして、西洋社会と本質的に異なる一つの現実を西洋的な区分で説明する方法論的誤りを避けた。これこそミゲル・レオン＝ポルティージャの学術的偉業の真骨頂である。

　レオン・ポルティージャと同世代の学識者の著作によって、文化遺産は、広範な領域に及ぶ意義を取得するに至った。レオン・ポルティージャの知的活動は、文化遺産の絶対的真実を語るものと見做されるのではなく、社会にとっての意義を説明することに意義がある。歴史と集合的記憶の関係を解き明かすが、歴史的有効性の検証ではなく、過去の集合的表象の分析を試みるのである。

過去から抽出される諸要素を取り込み、再定義することによって、社会的、政治的、とりわけ文化的なプロセスの所産として、文化遺産は、現在では異なった意味を取得し、様相に多様な変化を遂げてきた。一方では収集及び知識の伝播を確保するために遺産を特定、分類、保護する科学的研究に固有な様相がある。他方では、遺産がどのようにして、集合的記憶、伝統と社会的表象を獲得するかを示す側面がある。この意味に於いて、遺産とは、メキシコ社会が解釈を施し、過去と関係づけるそうした様相を回復するものであり、最終的にはアイデンティティーの支柱を構成するのである。

　レオン・ポルティージャの著作は神話と記憶、伝統と歴史の間を揺れ動く。創作に絶えず浸透するのはこれらの繋がりである。時系列的な特殊性を犠牲にする場合もあるが、それは読者にとってより良い理解を確保するためである。

　レオン・ポルティージャの作品は、今や、明暗対照法を用いる全ての人間の創作にも当てはまるように、時の審判に立ち向かっている。ナワ文化に対する高い評価が、メキシコ社会が自らの姿を映し出す栄光ある鏡を凝視し、尊厳の念を奮い起こすことができるという多大な功績を伴うという理解に於いて、来るべき採決の前兆は偉才にとって明るいものであることは疑いの余地がない。

訳者あとがき

　著者であるホルヘ・サンチェス＝コルデロ博士は、メキシコ人法曹、外交官（文化財保護に関する政府代表）、外務省名誉顧問及び評論家として活躍している、文化財・文化遺産保護に関するメキシコ内外での第一人者である。実姉のオルガ・サンチェス＝コルデロ上院議員が前内相というメキシコ有数の法曹一家出身でもある。

　本書は、日本では、『法と文化―文化財保護に向けての司法的挑戦』（2020年、西田書店）に次ぐ二冊目の刊行である。文化財を取り巻くメキシコの状況の分析に主眼が置かれつつも、前書同様に終始貫かれているグローバルな視点に立脚する考察が、本書の意義を高めていることは疑いがない。後述するが、著者は、文化財を世界的に保護するための「知的な戦い」の必要性を強調し、解決に向けてのシナリオにとって不可欠な世界各地の状況分析を展開する。博士の関心の焦点が、本書の言わばハイライトとなる部分である、米墨加自由貿易協定（T-MEC、英語表記ではUSMCA）という文脈の中でメキシコが対峙する広義での文化に関する複雑な側面について数章を割いて取り上げ、そこから派生する一連の複雑な問題の分析にあることは言を俟たない。

　また、本書が新型コロナウイルスのパンデミックの最中に執筆されたという特異性の中で、人類社会がこれまで直面してきたパンデミックについても興味深い分析と指摘をしている。本書を一読することで、文化財保護というテーマが特殊な主題では決してなく、その理解にとってこうした普遍的な側面への理解が重要になることに気づくであろう。博士の方法論的な個性と言えると思うが、本書に於いても前書同様に最終章では、メキシ

コの文化に多大の影響を及ぼしてきた卓越したメキシコ人たちの思想的特徴を紹介していることである。偉才たちは、文化財保護のための知的な戦いに先鞭をつけた存在として登場する。

　本書によって詳らかにされる多種多様な文化財の破壊、盗取、違法取引などの行為は、結果的には文化財という人間の手による歴史が凝縮された創作物を通じて、人間の人間及びその尊厳に対する攻撃を意味するであろう。また、今日まで戦争や内戦は多くの人々の憂慮を嘲笑うかのように破壊の手を休めないが、こうした事態が波及する文化財への危害も依然として深刻である。確かに即効の万能薬は存在しない。しかしながら、悲観論に打ちのめされる前に我々人類がすべきことは、世界レベルでのこうした保護に関する議論の存在を周知し、文化財の本来的な意義に関する啓蒙活動の更なる実施であろう。博士は、スペイン語での直近の著書『文化の断絶　待ち受ける大いなる挑戦』に関する取材の中で、この「意識改革」の必要性を説いている。訳者は、それを「文化的存在」（ser cultural）の確立と普及への努力として捉えてみたいと思う。また本書では現代のデジタル文化や電子音楽の領域で発生した興味深い論争にも言及があり、文化の領域がますます拡大・複雑化していることは一目瞭然である。このような複雑な時代にこそ、「文化的存在」としての対応が重要さを帯びてくるのではないだろうか。

　本書の中で取り上げられている遺跡、考古学的文化財や美術工芸品の中には含まれていないが、「モクテスマのペナチョ」として知られるユニークな文化財の返還を巡る論争が、昨年メキシコを中心とするスペイン語のメディアを賑わした。アガベ（竜舌蘭）の文化的役割に関心を持つ訳者は、当該文化財にアガベの糸が使用されていることを知るに至り、日本語でのコラム「古代メキシコのケッツァルの羽の被り物—500年以上前にオーストリアに渡ったアステカ帝国の宝物」を執筆したが、文化財の返還の困難さを改めて痛感することになった。他方、今年の3月に報道された、米国がメキシコから違法輸出されようとしていた多数の考古学的物件を押収し、メ

キシコに返還した事例は、両国の協力関係の成功例であるが、多くの場合、複雑で綿密な調査の実施と導かれる結論を巡る攻防の中で、原産国は粘り強い交渉を余儀なくされているであろう。

　アステカ帝国の滅亡500年目とメキシコの独立200周年という節目を迎えた本年9月27日に、メキシコ市で『メキシコの壮大さ』という行事が開幕した。現ロペス＝オブラドール政権3年間にメキシコが取り戻すことに成功した5000点以上の文化財の中から選ばれた約1500点が、市内の2ヶ所の美術館で5ヶ月間一般公開される。この開催が、純粋な博物館的展示という意義以外に、文化財の返還要求の懸案を抱える他のラテンアメリカ諸国の声の高まりにも影響を及ぼすことになるだろう。

　思えば、年頭に博士から本書の翻訳のお話があり、前書の場合とは全く異なるコロナ禍という状況の中で内向きになりつつあった気持ちを仕切り直して、第二回目の「知的冒険」へのお誘いを受諾した。訳出中は、前回以上に博士への質問、照会の機会が増えたが、博士からの迅速で明確な解答によって著者の迷いは解消し、インスピレーションのきっかけを得ることができた。博士の温かい励ましと厚い信頼感を感じながら翻訳を進めることができたことに、心からの感謝を表明したいと思う。

　博士の助手のClara Herrera氏には、前回同様に窓口として大変お世話になった。訳稿を最初に読んでもらった写真家の石川公人氏からは、細部に至るまでの貴重な指摘と提言を頂いた。また、以前から国際的な政治、宗教、文化に関する議論の機会を共有してきた宮田信一郎、文子夫妻と杏子令嬢には、次なる議論のテーマが増えたことをお伝えしたい。駐日メキシコ大使館勤務時の同僚で旧友の藤原映子氏は、日々励ましの言葉でこの半年以上の日々を支えてくれた。そして、前作以上にお手を煩わせた西田書店の日高徳迪氏からは、多くの点で重要な記述的示唆と助言を頂いた。こうした多くの温かい心に支えられて、本書の完成に漕ぎ着けたことを明記する必要がある。

最後になるが、本書が、未曾有の混沌とした世界の中で、文明の証としての文化財・文化遺産への更なる関心を高めて、「文化的存在」の確立と普及に資することができれば、訳者にとっては望外の喜びである。

2021 年 10 月吉日　　横須賀にて
松浦芳枝

著者略歴
ホルヘ・サンチェス＝コルデロ
Jorge Sánchez Cordero

メキシコ市生まれ。ドイツ学院（DEUTSCHES ABITUR）で初等・中等教育を受けた後、メキシコ国立自治大学（UNAM）法学部入学。1969～1974年の同期生中の最優秀学生として、大学より『ガビノ・バレーダ賞』を、メキシコ政府より『金メダル』を授与され、優等学士学位を取得する。パリ第二大学（パンテオン・アッサス）にて、審査員全員一致による最高評定による博士号取得。アンリ・カピタン銀メダルを授与される。フランス政府より、人類の文化遺産への貢献に対するシュヴァリエ国家功労勲章を授与される。

メキシコ市で弁護士・公証人を務め、連邦選挙裁判所の創設判事である。外交に関する様々な国際会議でメキシコ政府代表を務める。メキシコ外務省名誉顧問。

アンリ・カピタン協会のメキシコグループ座長。アメリカ法律協会会員及び欧州法研究所フェロー。私法統一国際協会（UNIDROIT）理事会会員及び常任委員会会員並びに現総会議長。比較法国際アカデミー正会員。法学国際協会（UNESCO）理事会会員・副理事長。

国際記念物遺跡会議（ICOMOS）法務運営財務国際委員会（ICLAFI）会員。国際法協会世界文化遺産ガバナンスへの参加に関する委員会会員。大陸法財団科学審議会会員。

スペイン王立法制法学アカデミー名誉研究者、メキシコ法均一化センター所長。

スペイン語以外にも数カ国語に翻訳された多数の著書並びにメキシコ内外の専門誌に掲載された多数の論文・エッセイの著者である。最近のスペイン語での主要著書は、『スキュラとカリュブディスの間、文化の不運と悲劇、荒廃、略奪及び文化的な覇権主義政策に対する新旧の挑戦』、『文化の断絶　待ち受ける大いなる挑戦　メキシコと世界の文化遺産及び文化的権利に関する評論』及び『メキシコ文化の機能不全』であり、これらは、スペイン、バレンシアの出版社ティラン・ロ・ブラン（Tirant lo Blanch）より出版された。

プリンストン大学が刊行する『国際文化財ジャーナル』等国際的専門誌数誌の論説委員も務める。

訳者略歴
松浦芳枝（まつうら　よしえ）
神奈川県生まれ。上智大学大学院（国際学修士）、メキシコ国立自治大学（UNAM）政治社会学部大学院ラテンアメリカ研究（博士課程満期退学）。駐日メキシコ大使館勤務（翻訳官・政治アナリスト）.を経て、明治大学講師。スペイン語・英語翻訳家（産業、経済、文化、工学等）。アガベ文化論研究者。メキシコを中心とするスペイン語ことわざ研究者。『法と文化－文化財保護への司法的挑戦』和訳（ホルヘ・サンチェス＝コルデロ著、西田書店）、『世界ことわざ比較事典』スペイン語（スペイン・メキシコ）部分の執筆（日本ことわざ文化学会編、岩波書店）、をはじめとして、「日本人とテキーラ」、「テキーラを読む」、「古代メキシコのケッツァルの羽の被り物」、「チレエンノガダの発祥と神話－メキシコの歴史が凝縮したご馳走」等の論文、エッセイ、コラムを発表。講演、スペイン語・英語通訳活動も展開。在住の横須賀市公認スペイン語・スペイン語圏文化学習サークル *La Casablanca* の指導にも当たり、地域社会と世界とのインターフェースとして活躍中。

メキシコ文化の機能不全
パンデミック・T-MEC・文化財
2021 年 11 月 11 日初版第 1 刷発行

著　者　ホルヘ・サンチェス＝コルデロ
訳　者　松浦芳枝
発行者　日高徳迪
装　丁　臼井新太郎

発行所　株式会社西田書店
　　　　〒 101-0051 東京都千代田区神田神保町 2-34 山本ビル
　　　　Tel 03-3261-4509　Fax 03-3262-4643
　　　　http//www.nishida-shoten.co.jp
印　刷　倉敷印刷
製　本　高地製本所

ISBN978-4-88866-662-6 C0036